Férias de fornicação

e outras murmurações de um moralista

Férias de fornicação
e outras murmurações de um moralista

TIAGO CAVACO

MUNDO CRISTÃO

Os textos das referências bíblicas foram extraídos da *Almeida Revista e Atualizada*, 2ª ed. (RA), da Sociedade Bíblica do Brasil, salvo indicação específica.

Edição
Daniel Faria
Revisão
Natália Custódio
Produção e diagramação
Felipe Marques
Colaboração
Ana Luiza Ferreira
Capa
Marina Timm
Ilustração de capa
Danilo Zamboni

CIP-Brasil. Catalogação na publicação
Sindicato Nacional dos Editores de Livros, RJ

C363f

Cavaco, Tiago
Férias de fornicação e outras murmurações de um moralista / Tiago Cavaco. - 1. ed. - São Paulo : Mundo Cristão, 2023.
192 p.

ISBN 978-65-5988-205-2

1. Ética social. 2. Ética cristã. 3. Igreja e problemas sociais. 4. Vida cristã. 5. Conduta. 6. Relações humanas - Aspectos morais e éticos - Cristianismo. I. Título.

23-83030 CDD: 241.621
CDU: 27-42:172

Meri Gleice Rodrigues de Souza - Bibliotecária - CRB-7/6439

Categoria: Cristianismo e sociedade
1ª edição: maio de 2023

Publicado no Brasil com todos os direitos reservados por:

Editora Mundo Cristão
Rua Antônio Carlos Tacconi, 69
São Paulo, SP, Brasil
CEP 04810-020
Telefone: (11) 2127-4147
www.mundocristao.com.br

Sumário

Prefácio

Quando um pastor evangélico nos convida para escrever o prefácio de uma obra sua, a primeira heresia que nos sai é um "ó diabo!" muito sincero e temente. Quando o pastor em causa é nosso amigo há muitos anos, desconfiamos de intenções benéficas. Querem ver que estou pior do que pensava? E que esta boa alma resolveu partilhar o melhor da sua mesa com um pobre pecador, na esperança de o converter ao caminho reto?

Então abrimos as primeiras páginas, desconfiados, só para ver a encomenda. Que erro brutal! Depois de lermos o primeiro texto, avançamos para o segundo, e para o terceiro, e para o quarto. É assim que as grandes desgraças acontecem, neste vou-só-experimentar-um-bocadinho-e-já-volto.

Não voltamos tão cedo. Nem queremos. Os textos de Tiago Cavaco, para além da elegância estilística, têm uma elegância elegíaca: eles celebram o que o espírito do tempo foi enxotando da nossa praça. Se um conservador, na inesquecível definição de William F. Buckley, é aquele que habita a história para ordenar um "*stop!*" de vez em quando, o Tiago é um dos nossos maiores conservadores. Ele sabe que existe algo de perverso no "destino sempre heróico de progredir", até porque esse destino (e esse progresso) cria estranhas metástases.

Uma delas, analisada com finura, é o paradoxo de termos pessoas não religiosas a serem as mais negativas que existem. Antigamente, essa era uma prerrogativa dos crentes: não faças isto, não faças aquilo.

Hoje, essa incontinência foi tomada de assalto pelos maiores progressistas, que pretendem tutelar a existência humana com uma ferocidade que teria deixado Calvino a tremer. "Quanto menos Deus há na nossa vida, mais impedimentos impomos aos outros", afirma o Tiago. Afirma muito bem. Como diria Chesterton, se os homens não se governam com os Dez Mandamentos, acabam governados pelos dez mil mandamentos.

Mesmo a discussão política, que por infeliz vocação sou obrigado a acompanhar, foi tomada de assalto por uma energia pseudorreligiosa que se julgava enterrada no século 20.

Ledo engano. Recentemente, a revista *The Atlantic* contava que, nas duas primeiras décadas do século 21, a frequência de igrejas nos Estados Unidos desceu para menos de 50% (andou nos 70% entre 1937 e 1998). Ao mesmo tempo, e em igual período, a intensidade ideológica disparou para a estratosfera, até produzir as aberrações conhecidas: exércitos de inquisidores que querem queimar livros ou banir a liberdade de expressão; ou, em alternativa, novos soldados da nação e da raça.

Em ambos os casos, e por incrível que pareça, o que existe é uma fragilidade emocional e espiritual que não foi atalhada no momento devido. Uma educação digna desse nome costumava dar conta do recado: a formação de um caráter implica, primeiro, a desconstrução de um ego. Mas a educação de hoje quer pessoas "bem resolvidas", para usar a encantadora expressão de um leitor de Tiago Cavaco, e o resultado dessa busca incessante de "autoestima" é termos gerações neuróticas e amedrontadas perante a realidade da vida.

Num dos melhores textos deste livro, o Tiago explica como o amor pelo humor *cringe* é uma confissão de temor e renúncia. Porque o convívio com os outros pressupõe alegrias e tristezas — ou seja, abertura ao imponderável, mesmo que esse imponderável traga embaraços.

Não mais. "Estamos a rir mais uns dos outros para evitar rir uns com os outros — e não saber estar fisicamente com o outro é perder a oportunidade da piada mais brilhante de todas, que é aquela acerca de mim." Lapidar.

Neste mundo de segurança total, em que não se arrisca nem se petisca, o autor recomenda certos caminhos. Os filmes de terror são um deles, só para quebrar um pouco o que o filósofo Byung-Chul Han designa por "excesso de positividade". A oração é outro caminho. Não apenas para que Deus nos ouça; mas para que nós nos possamos ouvir como os seres limitados e desamparados que somos, incapazes de mover certas montanhas.

A prosa do Tiago é assim: rebelde e desconcertante porque feita contra a falsa rebeldia e a falsa originalidade. No fundo, contra a "mediocridade da multidão". Com ele, aprendemos a importância dos inimigos para uma vida completa; a diferença entre comer uma ração e comer uma refeição; o erro comum de se considerar o casamento a mera continuação do namoro, quando o casamento deve "matar" o namoro; e o motivo por que as pessoas, depois de um enterro, nunca têm pressa de sair do cemitério. De fato. Pressa para que ou para onde?

Como se tudo isto não bastasse, o Tiago ainda tem a ousadia de casar o agostinianismo com o agustinianismo (com "u", em homenagem à maior das sibilas) em aforismos que trespassam e iluminam. "O que estraga a vida dos portugueses não é a pobreza, mas as intermitências da prosperidade". Grande verdade. A que se segue outra, maior ainda: "É minha convicção que o ódio ao americano é proporcional ao desejo, hoje recalcado, que no passado tivemos de poder ser um."

Volto ao início. Quando um pastor evangélico nos convida para escrever o prefácio de uma obra sua, a primeira heresia que nos sai é um "ó diabo!" muito sincero e temente. Mas quando terminamos a leitura e finalmente pegamos na caneta, é para deixar um "muito obrigado".

João Pereira Coutinho
Escritor, cronista e cientista político

Uma defesa apressada deste livro

Quis escrever um livro chamado *Férias de fornicação* acerca de como a juventude privilegiada e rica de Lisboa estoura devassamente o dinheiro dos pais em férias delinquentes no litoral da província portuguesa do Alentejo. Fracassei. O máximo que consegui foi uma crônica com o mesmo título, a que abre esta coleção. Parte considerável dos textos que escrevo no *Observador* corresponde a fracassos semelhantes.

Se olhar dessa perspectiva, esta coleção de crônicas também é um cemitério dos livros que sonho escrever mas não sou capaz. Falta-me a capacidade de transformar um instinto numa tese consistente, um rasgo momentâneo numa obra completa, um pressentimento numa paixão consumada. Como chama o vilão do *Apocalypto* do Mel Gibson ao herói do filme, sou um "Quase".

Também é disso que gosto nas crônicas. Podendo ser quases, elas vão embora antes do tempo, e têm impacto até quando não houve a oportunidade de lhes tirar as impressões digitais. Não estou a dizer que é isso que as minhas conseguem, mas é, sem dúvida, a isso que elas aspiram. Prefiro mil vezes deixar no ar uma ideia mal defendida do que iludir-me com a eficácia de convencer alguém.

Assumo que o fato de usar esta dicotomia, de pôr de um lado a provocação rápida e do outro a persuasão rigorosa, demonstra o trabalho diário que me ocupa além destas crônicas: sou um pastor evangélico. Como pastor evangélico tenho de, pelo menos, tentar aparentar que a persuasão rigorosa é o meu trabalho. Mas a verdade é que, quanto mais artigos escrevo, mais encontro um campo estranhamente comum aos meus sermões semanais. Vou tentar explicar.

Como pregador, sou um moralista profissional. Sou pago para mostrar moral, defender moral, incutir moral ao povo que me dá o salário. Tenho-me apercebido da imensa vantagem que daí vem. Afinal, moralizar é um instinto inato a qualquer pessoa e eu ganho dinheiro para fazer o que a maioria faz sem receber tostão. Por causa disso, aperfeiçoo-me profissionalmente onde a multidão é amadora.

Acresce o fato de, apesar de todos sermos moralistas, haver hoje a tendência dominante de o negarmos. Como passou a ficar mal assumir que se crê numa moral (como se uma pessoa, para não querer desperdiçar os recursos naturais do planeta, dissesse que ia passar a poupar o seu consumo de oxigênio), a arte de moralizar anda em negação, só a tornando mais onipresente e absurda. Nunca somos tão moralistas como quando o negamos.

Imaginem por isso o privilégio imenso que tenho de, sem qualquer remorso, escrever textos moralistas no maior jornal *on-line* português. Neles, pratico sem culpa o mesmo tipo de argumento que tantas vezes desenvolvo nos meus sermões. Há crônicas até que, na prática, são versões alternativas das minhas pregações. Sou um moralista remunerado no púlpito e posso ser um moralista remunerado na imprensa. Há vidas boas.

Mas quero ainda mencionar o aspecto da murmuração. Para que fique claro, concordo que na Bíblia a murmuração é condenada e o murmurador é quase sempre uma criatura em linha reta para o inferno. Mas, se formos sinceros, temos de reconhecer que, nos púlpitos da vida, a ventilação do murmúrio é parte do sopro do espírito em que qualquer pregador descamba. A linha onde acaba o aborrecimento e começa a adoração é tênue — queixume e querigma andam de mãos dadas.

Também por isso, me pareceu ajustado adicionar a este livro o subtítulo *murmurações de um moralista*. E devo reconhecer que, durante o tempo da publicação destas crônicas, estas mesmas murmurações têm suscitado outras nos leitores. As que primeiro mais me impressionaram foram, curiosamente, de outros cristãos como eu. Umas das mais gloriosas reclamações que recebi era de um senhor venerável na minha denominação batista em Portugal que, após um dos meus textos, declarou ter vergonha de pertencermos à mesma família religiosa.

Sinceramente, parece-me equilibrado que um pastor evangélico, ao escrever de um modo moralista e murmurador na imprensa secular, não importune apenas os pecadores. Creio mesmo que a nossa maior proximidade ao Apocalipse se nota não porque os maus são cada vez piores, mas porque os maus se sentem cada vez melhores. Num mundo em que quem rejeita Deus se sente mais santo do que ele, talvez murmurar seja a única moral possível.

* * *

Este livro não existiria sem o cuidado que vem do amor que me tem a minha mulher, Ana Rute, e dos nossos filhos, Maria, Marta, Joaquim e Caleb. Agradeço à minha Igreja da Lapa, sabedora que a entrega que devoto à palavra passa por textos que tantas vezes parecem impenitentes. Um obrigado ao Rui Ramos e a toda a equipe editorial do *Observador*. Entrego também uma palavra de gratidão ao João

Pereira Coutinho, um dos cronistas que mais me inspira, pelo generoso prefácio no meu próprio livro de crônicas. Por último, deixo um reconhecimento especial ao Daniel Faria, meu fiel e infalível editor, que não somente corrige como encontra caminho para os meus textos — se houver sentido no caos destas crônicas, a ele o devemos.

Parte I

As murmurações de um moralista

Férias de fornicação

Já que não consigo concretizar todos os livros que gostaria de escrever, alguns tento que, pelo menos, cheguem a ser textos. É o caso deste. Há uns anos, numa semana de verão no litoral do Alentejo, no centro-sul de Portugal, cruzei-me com um fenômeno que quis documentar. Faltou-me o tempo e o talento, é certo, mas ficou claro para mim o empreendimento coletivo de férias de fornicação que os miúdos endinheirados de Lisboa ali desenvolviam. Sem pais, sem freios e provavelmente sem grandes limites de cartão de crédito, aquela juventude dava corpo ao que lhe apetecesse.

Era setembro de 2015 e escrevi assim: "Tenho em mente um novo livro para escrever. Chamar-se-á *Férias de fornicação: A razão por que o lazer dos adolescentes mostra a decadência da nossa cultura*. Já tenho a teoria essencial plasmada na minha cabeça, resultado de ver a Costa Vicentina inundada de *teenagers* abastados, saídos dos seus colégios católicos, conduzindo o automóvel do papai para se deitarem com quem lhes apeteça. O nosso maior problema não é a esquerda defender valores anticristãos. O nosso maior problema é a demografia da suposta direita conservadora viver de um modo requintadamente pagão". Passaram mais de sete anos e continuo a concordar com o que anotei à época.

Dar corpo ao que nos apetece é, em grande parte, aquilo que significa fornicar. Infelizmente fomos perdendo a nossa familiaridade com o termo e, assim, também uma oportunidade de voos morais mais altos. É interessante que há dicionários onde a definição de fornicação é "ter relações sexuais", mas essa é incompleta. Por exemplo, na Bíblia, onde a palavra muito aparece, fornicação é toda relação sexual que acontece fora do casamento. Fornicar é, nesse sentido, dar corpo ao que me apetece além da promessa matrimonial que tenha feito (ou ainda vá fazer). Fornicar é a grande liberdade de me comportar para lá das fronteiras da minha palavra. Fornicar é furar o que falei.

Quando a miudagem copula à vontade, naturalmente não pensa nisso. Pensa pôr a liberdade a render, mas o que está em causa é rejeitar uma inteireza que só se descobre quando o corpo é o mapa da nossa dedicação a alguém — é o paradoxo de só saber quem sou quando não sou só meu. A fornicação, parecendo o muito que fazemos com o nosso corpo, é a desmaterialização dele em encaixes imediatos que não se prolongam no tempo. Sendo tudo acerca da carne, a fornicação é impedirmos que ela se relacione com a palavra. Para quem, como os cristãos, acredita que o universo começa com o verbo, com o "faça-se", já está a ver aonde se chega: fornicar é um fazer que, na ausência da palavra, nos fantasmiza.

A virilidade da rapaziada na Costa Vicentina torna-se, ironicamente, um vazio. O fornicador soma gente ao seu corpo para que no fim tudo suma — somar fica mesmo sumir. Faz lembrar quando em *De volta para o futuro* a família do Marty McFly se evapora progressivamente na fotografia e ele tem de fazer o possível e o impossível para que o futuro se aguente. Talvez injete demasiado existencialismo num retrato *pop*, mas é também este o desmoronamento que sucede aos verões sensuais que observei — excitam muito na estação quente mas depois exibirão uma frente fria.

H. L. Mencken dizia com graça que o puritanismo era o pânico de que alguém, em algum lugar, possa ser feliz. Eu, que tento ser o puritano mais assumido que consigo (no sentido religioso e histórico do termo), não posso deixar de admitir que ainda estou por descobrir um fornicador feliz. Aliás, devo ir mais longe e assumir melhor a minha inexperiência total nessa matéria: por um lado, nunca forniquei; e por outro, não tenho uma fé assim tão grande na felicidade. E é aqui que muitos cínicos, como Mencken era, acabam contraditoriamente por professar a religião que sustenta essas férias alentejanas e muitas outras: crendo que a felicidade, para ser factual, precisa ser muito fornicada.

23/01/22

O mal resolvido confessa-se

Até começar a escrever regularmente em meios digitais, desconhecia a regra que os colunistas mais sensatos têm de, obviamente, não lerem as caixas de comentários. Agora percebo. Ler a caixa de comentários é para articulistas inseguros e que buscam o consolo infantil da unanimidade. Admito que caí na armadilha. A experiência me recordou que, com honrosas exceções, as caixas de comentários são um contributo incrível para continuarmos a acreditar que o inferno não somente existe, como é o destino espiritual estatisticamente mais provável da humanidade.

Mais do que uma pessoa na caixa de comentários me chamava "mal resolvido". Tomo "mal resolvido" como das frases mais razoáveis que podem ser ditas acerca de mim. E sou levado a estranhar que seja usada como acusação. Que tipo de qualidade existe e me escapa em a pessoa ser bem resolvida? Será que ser bem resolvido significa ter-se a si mesmo como o assunto essencialmente tratado? Quem é que vive bem com a ideia de ser um assunto solucionado? O que faz a pessoa bem resolvida, ó céus?! Passa para a próxima, como se o mundo fosse uma linha de montagem de resoluções sucessivas? Em que universo vivem as pessoas bem resolvidas, e como é que ainda não me tornei numa delas?

Curiosamente, li que era mal resolvido depois do texto que escrevi contra a fornicação. Pela lógica do argumento, fico com a ideia de que a fornicar nos vamos resolvendo, um conceito igualmente surpreendente. Imagino então uma convicção de que a cópula livre providenciará o tipo de discernimento que conquista nas pessoas graus concretos de autossegurança. Isso explicaria muita coisa, de fato. Tenho de conceber a possibilidade de grande parte das minhas angústias nascer da ausência de fornicação que tive nestes 44 anos. Fosse eu um fornicador e, não só me resolveria, como, presumo, estaria numa posição de melhor resolver também o mundo à minha volta. Extraordinárias, as potencialidades de um leito sem limites!

Creio que ser bem resolvido possa ser hoje uma espécie de substituição não religiosa da antiga absolvição. Como já não haverá pecados para serem perdoados, pelo fato de a fornicação, por exemplo, ter passado de impiedade a iluminação, a pessoa bem resolvida é a pessoa a quem o mal já não faz estragos. O cidadão bem resolvido está, fundamentalmente, livre. Livre para ser. Livre de transgressões e tribulações. O futuro é uma estrada larga e reta em que o bem resolvido não hesita e nem sequer precisa abrandar nas velhas estações de serviço da culpa. Ser bem resolvido será um tipo de tanque permanentemente cheio isento de pagar pedágios, parece-me. Saiam da frente que vai passar um bem resolvido!

Se bem resolvido significa ser determinado, sólido, por outro lado, na palavra resolução também existe a ideia de algo que se dissolve. Nessa medida, a resolução é absorvida por alguma coisa maior, onde foi colocada. Belíssimo paradoxo este de firmeza e fragmentação. E um dilema aparece para qualquer pessoa que queira ser realmente resolvida: como distinguimos o momento de resistirmos, na forma que temos, e o de nos deixarmos derreter numa verdade superior? Julgo que os meus acusadores não estavam propriamente na segunda modalidade, ponderando estar em causa algo maior do que a certeza da sua experiência. Acalenta-me a esperança de que os mal resolvidos permaneçam, pelo menos, abertos à fecundidade que possa haver além da fornicação.

26/01/22

A minha tia e o Mata-Sete

Tenho uma tia que vive na casa que era da mãe do Mata--Sete. O Mata-Sete era o Vítor Jorge, anônimo cidadão da Marinha Grande que, em 1987, entrou para a história de Portugal como a nossa versão de um *serial killer* moderno. Como a alcunha indica, varreu sete pessoas, incluindo a mulher e uma filha. Por isso passou catorze anos na prisão, o que dá uma média de dois para cada morto. Não resisto a dizer: nada mau. Entretanto, morreu na Córsega, 31 anos depois das suas vítimas.

O objetivo deste texto nem é propriamente o de me queixar acerca do pouco que vale a vida de uma pessoa assassinada em Portugal, ao constatar as penas cumpridas (honestamente, nem eu sei ao segundo parágrafo qual o objetivo deste texto). No entanto, creio que existe uma força natural em escrever que tenho uma tia que vive na casa que era da mãe do maior assassino recente da nossa história. Como diria a escritora italiana Susanna Tamaro, estou com estas palavras a tentar ir aonde me leva o coração.

Já o coração dos portugueses incha de orgulho quando muito rapidamente exclamamos que somos o primeiro país europeu a ter abolido a pena de morte (para crimes civis). O tom na época, em 1867, exprimia-se assim pelo deputado Santana e Vasconcelos: "Portugal podia estar hoje abatido e pequeno, mas na minha opinião, pelo simples fato de abolir a pena de morte, coloca-se à rente da civilização europeia, e é neste momento solene uma das primeiras nações do mundo". E o raciocínio que servia de base à decisão política era o de que as penas serviam para corrigir os culpados e não vingar as vítimas.

Continuando a ir aonde o meu coração me leva, admitiria que não sou a favor da pena de morte. A ideia de o Estado matar é-me demasiado iliberal. Mas, se me desagrada que um Estado mate, também me desagrada que um Estado viva "solenemente colocando o país à rente da civilização europeia nas primeiras nações do mundo". Não sei o que despreze mais: o poder de uma lei que pode matar, ou o prestígio de outra que nos faz existir dentro do destino sempre heroico de progredir. Curiosamente, volta e meia as duas causas acabam juntas.

Há quem considere que exageramos hoje no uso da palavra "vítima". Há quem prefira a palavra "sobrevivente" à palavra "vítima". O problema é que nem todas as vítimas sobrevivem. E com essas, não sobreviventes, a distância rapidamente aumenta para se tornar um desaparecimento mesmo. Ironicamente, no caso do Vítor Jorge, sobressai a alcunha que lhe foi dada, ignorando o nome das vítimas para as tornar um número. Ele não ficou como o Mata-Leonor, nem como o Mata-Luís, nem como o Mata-Maria do Céu, nem como o Mata-Isabel, nem como o Mata-José, nem como o Mata-Carminda, e nem como o Mata-Anabela. Ficou como o Mata-Sete. Sem nome é como geralmente ficam as vítimas que não sobrevivem.

As pessoas com que me relaciono no meu dia a dia mais facilmente são otimistas achando que a humanidade tem a vocação de progredir, do que pessimistas com um plano de matança coletiva. Não vivo, creio, próximo de muitos Vítores Jorges. Daí que hostilize mais o exagero dos idealistas do que os horrores dos assassinos. E prefiro mesmo encontrar alguma maldade em quem se orgulha de não matar os maus. Cada vez que um português se toma como moralmente superior pela antiquíssima abolição da pena capital, tenho vontade de ser um *redneck* num estado do sul dos Estados Unidos da América que mantenha a cadeira elétrica a funcionar.

Uma civilização que vai à frente, como a nossa iluminadíssima europeia supostamente vai, com frequência deixa uns quantos para trás. Raramente me encontro no elenco das glórias do nosso progresso. É que sempre que quero chegar primeiro do que todos os outros, dou por mim a esquecer-me de coisas e de pessoas, sobretudo de pessoas, que, em algum lugar lá no passado arcaico, tiveram nomes. Certeza que já foram mais do que sete.

15/05/22

Poder engordar na cantina da escola

As pessoas negativas já não são as religiosas, mas as não religiosas. As pessoas não religiosas hoje desfilam publicamente as suas proibições, vão elas da comida que não se deve comer (um miúdo já não pode engordar na cantina da escola), até ao tratamento dos animais (já não podem existir gatos em casa sem *chip*), passando pelos rígidos mapas para o sexo (o cidadão tem de se limitar a copular de acordo com os seus sentimentos). Quanto menos Deus há na nossa vida, mais impedimentos impomos aos outros.

Quem cresceu na igreja sabe o que é não fazer o que a maioria faz. Por exemplo: não ver os desenhos animados no domingo de manhã por estar no culto, não dizer palavrões, não consumir pornografia, escolher bem as influências, evitar a imoralidade, enfim. Os religiosos costumavam ter uma vida que, em grande parte, era baseada em dizer não ao que facilmente as pessoas dizem sim. Nesse sentido, as pessoas negativas eram as da religião e as positivas todas as outras. Mas os papéis têm vindo a inverter-se.

À medida que o tempo passa e a religião perde importância, as pessoas negativas tornam-se as que não a têm. É uma espécie de paradoxo. Como não conseguimos deixar de ser gente que adora alguma coisa, quando as adorações saem oficialmente da igreja para poderem ser qualquer coisa fora dela, instituem-se os cultos mais vigorosos que, talvez por serem inconscientes, parecem ser os das pessoas não religiosas. Nós vivemos hoje numa época assim. Perdemos religião e isso encaminha-nos a impor mais ferozmente o modo oficioso de ela sobreviver.

Faz-me lembrar a minha adolescência na igreja. E a música que não devia ouvir, por supostamente ser satânica (só com vinte e tantos anos é que ouvi Iron Maiden). Hoje os miúdos sem religião vivem como os miúdos religiosos de há décadas, com códigos apertados do que podem e não podem fazer. E é surpreendente a mudança. Antigamente, quando as pessoas negativas eram as religiosas, um choque era o que podia acontecer quando se lidava com algo errado. Hoje, que as pessoas negativas são as não religiosas, tão somente poder haver algo errado é um choque. Se no passado o santo tinha medo do profano, no presente o profano toma o santo como blasfemo (sei o que é a Flor-Caveira, a minha família musical, ser evitada por alguns descrentes da mesma maneira que nós, os adolescentes evangélicos, fazíamos com o *heavy metal* há trinta anos).

Agora reparem o lado solar de tudo isso: subitamente, as antigas pessoas negativas podem dar sim ao que um número crescente diz não. Podemos engordar? Sim! Podemos arranjar gatos sem *chip*? Sim! Podemos copular além dos nossos instintos? Sim! O pior que pode acontecer é, dependendo do novo vigor negativo das pessoas não religiosas, acabar na prisão. Ainda não chegamos lá e esperança tenho que lá não cheguemos, mas nunca se sabe.

Tenho a verdadeira religião como a arte de desistir do que nunca conseguiremos ser. À medida que confio em Deus, vou desistindo de todos os meus instintos naturais de querer sê-lo. Por isso, sei que ter fé não se baseia naquilo que faço ou deixo de fazer. Sei que a fé se vê também naquilo que faço ou deixo de fazer, é claro. Mas hoje é certo para mim que quem mais vive em função da pureza do que faz (ou deixa de fazer) é quem acaba a impor-se como Deus dos outros. Dessa religião tenho vindo a libertar-me, espero.

16/01/22

Desmarcar tudo meia hora antes

O meu amigo Miguel Arsénio queixava-se outro dia da desmoralização que é dar um concerto, ter pessoal a prometer que vai e, meia hora antes, receber uma mensagem a dizer que não vai dar. "É desmotivante e um bocado chunga", confessava ele. Acho pior. Acho que dizer que se vai fazer uma coisa e depois não fazer é mais do que desmotivante e um bocado chunga: é a não vida no seu estado puro. Falar que se vai fazer e não fazer é o anti-Gênesis 1, é Satanás a estragar a criação do universo por Deus. Prometer e não cumprir é o des-mundo, é o *upside down*, é a maldição final.

Uma pessoa passa a vida inteira a tentar corresponder o que fala ao que faz, e vice-versa. Esse esforço contínuo corresponde à moral mais elevada que é pedida de um ser humano. A lógica é simples: se as pessoas foram feitas pela palavra, como as Escrituras ensinam, então a palavra é o destino por excelência ao qual uma pessoa se deve entregar. Estabelece-se assim uma simetria entre o que nos criou e o que nós devemos criar, em resposta, com as nossas próprias palavras.

Nesse mesmo sentido, os cristãos têm uma obsessão tal pela palavra criadora que creem que ela não só fez pessoas, como se tornou ela mesma pessoa. Cristo é a materialização disso tudo. A ética mais sagrada para um cristão é, nesse esquema de a palavra criar pessoas, ser uma pessoa de palavra. O mais triste é a pessoa que desvaloriza a palavra e convive bem com isso. Fala uma coisa mas faz outra. Existe um nome para esse divórcio horrível entre falar e fazer: hipocrisia.

Cristo odiava hipócritas. O ódio de Cristo, a Palavra criadora, aos hipócritas explica-se com simplicidade: como é que quem fez os homens falando pode conviver pacificamente com homens que falam sem fazer? Falar sem fazer é o maior embuste de todos, é a ilusão de que algo vai acontecer para, depois, nada acontecer. Essa ilusão é a modalidade de satanismo mais corriqueira, mas também mais eficaz na nossa vida do dia a dia.

Certo. Mas quem é que pode, em boa consciência, dizer que faz tudo o que fala e que fala tudo o que faz? Todos somos hipócritas. Todos somos como os amigos do Miguel Arsénio quando prometemos ir ao *show* dele mas, miseravelmente, safamo-nos em cima da hora com uma mensagem de desculpas mal arranjada. Também por isso mesmo, a Bíblia nos avisa, na Carta de Tiago, que o estrago que a língua pode provocar, falando o que não vai fazer, é tremendo. Falar que se vai fazer e depois não fazer estraga tanto como um incêndio. A língua é um fogo (Tiago 3.6).

Não é por acaso que uma das parábolas mais fascinantes de Jesus, o falar mais feito que já existiu e que alguma vez existirá, seja a dos dois filhos. Em Mateus 21.28-31 conta-se: "Um homem tinha dois filhos. Chegando-se ao primeiro, disse: Filho, vai hoje trabalhar na vinha. Ele respondeu: Sim, senhor; porém não foi. Dirigindo-se ao segundo, disse-lhe a mesma coisa. Mas este respondeu: Não quero; depois, arrependido, foi. Qual dos dois fez a vontade do pai? Disseram: O segundo. Declarou-lhes Jesus: Em verdade vos digo que publicanos e meretrizes vos precedem no reino de Deus". Geralmente espera-se muito de quem fala, mas até os de quem nada de bom se fala podem fazer mais. A fé cristã hipervaloriza a manutenção da palavra ao mesmo tempo que alerta para o aparecimento de surpresas.

O filho-exemplo, que fez sem antes ter falado que ia fazer, não nos leva a relativizar a importância das palavras. Mas a reconhecer que o mais fácil é, de antemão, garantir pelo que se diz o desempenho que fatalmente não conseguiremos. Às pessoas cheias de falação acerca do que fazem, Deus prefere as que fazem sem falar. Calar mais para não ouvir de menos, ser gente de "sim, sim, não, não" — estas são todas recomendações bíblicas. Ninguém se salva por falar muito nem por fazer muito, mas tudo muda se esse falar e fazer se encontrarem em Cristo. Acerca dele, que aceita as nossas desculpas sinceras, mesmo aquela meia hora antes do evento que garantimos que não íamos falhar, ninguém dirá que foi "desmotivante e um bocado chunga".

10/07/22

A hostilidade nos devolve à mediocridade da multidão

Quando acreditamos em causas que não ameaçam nada nem ninguém não acreditamos realmente em causas. Assim muito resumidamente, essa foi uma das coisas que o teólogo Carl R. Trueman sugeriu na revista *First Things* em artigo intitulado "Christians Should Rejoice Over *Dobbs*", acerca da decisão da Suprema Corte dos Estados Unidos que anulou a proteção constitucional ao aborto. Neste caso, enquanto quem se dizia contra o aborto não podia ser associado a uma chatice da dimensão de ele deixar de ser visto como um direito constitucional, estava tudo bem. A tendência é agora toda essa gente ter de amaciar o discurso, tendo em conta que está a ser vista como contra os "direitos reprodutivos" mais essenciais das mulheres. E por isso, até muitos dos que se afirmavam *pro-life* têm de vir a público explicar muito bem explicadinho que não são as bestas que agora ainda mais passaram a parecer.

Já estão a ver aonde isto pode chegar: eu posso ser visto como uma dessas bestas, mesmo tendo em conta que o que acontece nos Estados Unidos não nos legisla. Mas quem quer saber desse detalhe se, a partir da realidade americana, que é muito mais a da nossa imaginação do que a realidade do país em que vivemos, posso também ser monstrificado? Desde que me lembro de pensar no assunto, sou contra o aborto. E nunca fiz por esconder isso. Não escondi que era contra o aborto quando numa conferência discordei da Odete Santos na Faculdade de Ciências Sociais e Humanas no primeiro referendo sobre o assunto em 1998. Não escondi que era contra o aborto no segundo referendo sobre o assunto em 2007. De lá para cá passei a fazer parte dos derrotados e, eventualmente, deixei-me cair no tal conforto de acreditar em causas que parecem irremediavelmente perdidas. E isso mesmo tendo em conta que frequentei e tentei envolver-me em algumas das marchas pela vida. A chatice é quando a causa perdida se des-perde um pouco e põe na berlinda aqueles que se tinham confortavelmente resignado à derrota. Por vezes, a causa perdida é a mais apetecida.

Continuo pronto a tentar convencer alguém do mal que o aborto é quando as pessoas se apresentam genuinamente interessadas em discutir. Nos últimos anos concluo que há uma distorção entre o que será esse genuíno interesse em discutir o assunto e a expressão pública do que se convencionou ser a opinião da maioria. De fato, as reações que a internet amplifica dão a entender hoje uma sociedade muito mais hostil a antiabortistas como eu. Claro que seria necessário estudar se essa amplificação corresponde à verdade, e não me parece haver uma urgência nesse estudo (o artigo do Jonathan Haidt na revista *The Atlantic*, "Why the past 10 years of American life have been uniquely stupid", dá-nos um contexto interessante que pode aqui se aplicar, de as redes sociais, na sua aparência de liberdade e transparência, poderem contraditoriamente colocá-las em causa). Mas o ponto deste texto não é a eventual hostilidade que encontramos ao acreditar em coisas. O ponto é outro: quando essa hostilidade, concretizando-se em maior ou menor escala, serve para demonstrar que naquilo em que se dizia acreditar, no fim de contas, não se acreditava mesmo.

E como é que esse teste se faz? Não sei. Mas tenho um palpite de que uma crença para ser real tem de nos colocar numa posição de desvantagem. Até estarmos em desvantagem podemos dizer o que quisermos que ninguém poderá aferir. É o exame da desvantagem que tem o dom da revelação (do apocalipse, no grego original). Até sermos testados, tudo o que somos pode ser um fingimento. Não é, por isso, por acaso, que mesmo Deus feito homem tenha sido julgado. Quando o teste veio, Jesus teve de mostrar a sua fibra. Como é que Deus feito pessoa mostrou ser a valer? Morrendo pelo que falava e fazia. O risco de poder morrer por algo que não se fingiu ser é o que distingue um homem a sério ou uma mulher a sério. Também nessa mesma cena de avaliação final, não é casual que a multidão fique do lado oposto de Jesus — a multidão é o lugar onde qualquer pessoa pode fingir o que não é e o exame não acontece.

Não pensem que idealizo martírios para mim. Pelo contrário, sou tão ou mais covarde do que qualquer outro cidadão. Agrada-me a ideia de que a minha fé não suscite em ninguém o desejo de me agredir. Mas sei que pior do que isso é a agressão que inflijo a mim mesmo quando, em vez de ser o que digo, digo o que outros querem que eu seja. Não desejando qualquer hostilidade, sei que ela tem o número do anjo vingador: aquele que nos devolve à mediocridade da multidão. Do mesmo modo que não é por uma causa ser da maioria que está errada, não é por uma ser da minoria que está certa. A diferença mais substancial, neste caso, é saber qual é a nossa causa mesmo. E, depois, deixar que sejam os números a fazer aquilo que os números fazem. No assunto do aborto, e apesar de não estar assim tão certo do consenso contemporâneo a favor dele, estou absolutamente certo de que não foi nenhum potencial consenso que me impediu de saber o que ele faz: mata.

17/07/22

O esnobe que julgava amar os pobres

Esnobismo intelectual era o que o C. S. Lewis chamava a "aceitação acrítica do clima intelectual da nossa época, e a premissa de que, seja o que for que já tenha passado, está por conta disso mesmo desacreditado". Se formos sinceros, e reconhecendo que nunca antes na história do mundo foi tão fácil saber o que os antigos pensavam, a facilidade da nossa informação sobre o passado é proporcional ao desprezo que lhe temos. Quanto mais conhecemos os que nos antecederam, mais superiores nos sentimos em relação a eles. O sabedor é um esnobe — eis um diagnóstico a ter em conta acerca de nós hoje.

Pensemos no assunto da pobreza, por exemplo. Gostamos de nos considerar mais preocupados com a pobreza do que qualquer época que chegou mais cedo. E, nessa pressa típica que têm as pessoas seguras das suas virtudes, tomamos o pobre de hoje como o pobre de ontem, como se o tempo a passar não mudasse nada nos próprios conceitos. Quando se gasta tempo a ler literatura antiga, chega-se com frequência à conclusão que as mesmas palavras podiam ter significados não completamente coincidentes com os de agora. Para mim, que me obceco com a Bíblia, descubro que o pobre nas suas páginas é mais do que apenas a pessoa de poucos ou nenhuns recursos econômicos. Como é razoável esperar da literatura religiosa, ela trata a pobreza como uma condição também espiritual.

O pobre, como hoje é genericamente entendido, sobretudo de uma perspectiva material, é um conceito recente. Nessa medida, iria mais longe e acrescentaria que o pobre de hoje tende a suscitar a nossa simpatia precisamente pelo fato de não ser o pobre de ontem. Quando o pobre de hoje corresponde ao pobre de antigamente, são poucos os que desejam ser vistos como preocupados em ajudá-lo. Pelo contrário, promoveriam a maior distância dele. Quem é então o pobre de ontem, para que nos desagradasse hoje ajudá-lo?

Antigamente, e por haver menos pudor em buscar na religião as melhores explicações acerca do universo, a distância entre pobreza e maldição era curta. Em razão disso, o pobre era a pessoa que os acontecimentos não favoreciam muito provavelmente por estar a colher o que semeou. Desde que o mundo é mundo que o *instant karma* é uma convicção generalizada. Nas civilizações arcaicas a pobreza era, inevitavelmente, um sinal de algum tipo de retribuição cósmica, estivesse ela mais ou menos relacionada com a ação divina. Nesse sentido, era pobre quem merecia pobre ser. Passar pela maldição de não ter era ter alguma responsabilidade nisso.

O pobre de hoje é uma criatura diferente. O pobre de hoje facilmente se torna uma romantização da ausência da responsabilidade que antes lhe era pedida. O pobre de hoje é fundamentalmente alguém que não tem culpa do pouco que tem, porque o pouco que tem tem a ver com fundamentalmente tudo exceto ele (entra em cena a causa sistêmica). O pobre de hoje é tão facilmente amado pela razão de não ter quase nada a ver com o pobre de ontem: o pobre de hoje é visto como um inocente na mesmíssima proporção em que o pobre de ontem era visto como um culpado.

Qual é uma das implicações práticas disso nos nossos dias? As pessoas que hoje exprimem amor aos pobres podem, em comparação com o passado, não exprimir essencialmente nada além do amor aos inocentes. Nessa medida, amar o pobre, sendo amar o inocente, não acarreta nenhum tipo especial de empenho. Naturalmente amaremos todos os que nos parecem livres de culpa. Um inocente merece-nos condenação? Dificilmente.

Mas o pobre de antigamente era visto como mais próximo da culpa do que da inocência. Pobreza era uma espécie de maldição merecida. Amar os pobres era realmente contraintuitivo porque geralmente não é atraente amar culpados. Daí o impacto das palavras de Jesus no Sermão do Monte (em Mateus 5.44-47) que, não sendo especificamente acerca da pobreza, a ela também se podem aplicar: "Eu, porém, vos digo: amai os vossos inimigos e orai pelos que vos perseguem; para que vos torneis filhos do vosso Pai celeste, porque ele faz nascer o seu sol sobre maus e bons e vir chuvas sobre justos e injustos. Porque, se amardes os que vos amam, que recompensa tendes? Não fazem os publicanos também o mesmo? E, se saudardes somente os vossos irmãos, que fazeis de mais? Não fazem os gentios também o mesmo?". Dá vontade de parafrasear: Amar os nossos, que temos como tão bons como nós? Parabéns! Que tal amar os que já se estão a dar mal por parecerem as bestas que eventualmente são?

É por isso que me inquieta tanto o amor automático pelos pobres. Quando eu próprio, tomado de escrúpulos e bons sentimentos, dou por mim a tão justificadamente amar o pobre não posso, ironicamente, estar a amar-me a mim mesmo a partir de uma idealização da minha própria inocência que, neste caso, estendo ao outro? E o assunto pode ser virado de pernas para o ar: se eu pensar que maldito é o rico, amar o rico hoje torna-se a atualização inesperada de amar o pobre antigamente. Se amar o pobre no passado corresponder efetivamente a não cultivar a indiferença por alguém que me suscitava algum tipo de justa repugnância, então amar hoje quem mais me repugna poderá corresponder ao valor que estava em causa quando antes se amava um pobre.

Resumindo muito a lição para nós, esnobes que julgam amar os pobres: diz-me quem te repugna e dir-te-ei quem é realmente o pobre para ti.

28/08/22

A que bebedeira conduzes os teus filhos?

Como o pessoal diz agora no inglês original: "*Disclaimer!*". Ou seja, nota prévia: sei por experiência própria o que uma bebedeira é. É fácil uma bebedeira oferecer recordações que, mesmo anos depois, suscitam gargalhadas, mas admito que, no seu âmago, o período mais boêmio que vivi foi triste. Como assumo com alegria e sem reserva o papel de moralista nestas páginas, não quero ser acusado de hipócrita. Ao lamentar bebedeiras assumo que cometi umas poucas no passado. Não leem um anjo, mas um pecador arrependido.

Percebo com mais veemência hoje, agora que a minha geração tem filhos a chegar à maioridade, que a bebedeira permanece na nossa cultura como inevitável ritual de passagem. E que a maioria dos pais, os pais da minha idade!, assim mesmo a toma, entregando passivamente os filhos à inevitabilidade da primeira noite de boêmia e apagamento alcoólico. As criancinhas que ainda há pouco mais de uma década eram mimadas e poupadas de qualquer risco, não fosse a infância traumatizá-las para uma existência de sofrimento irreversível, são agora bovinamente conduzidas pelos braços dos próprios pais a esse imenso altar da garrafa. Portanto, o esquema funciona mais ou menos assim: até o primeiro pileque somos helicópteros; daí em diante elas que se safem em voo livre.

E depois há detalhes que nem o Diabo consegue inventar: os pais de hoje conduzem os seus filhotes de casa à cadela, e da cadela a casa (para os menos versados em álcool, "passear a cadela" é equivalente a apanhar uma bebedeira). Tudo, certamente, em nome da segurança. Podíamos chamar-lhes taxistas voluntários ou ubers *pro bono*. Chamemos-lhes apenas progenitores em trajetos noturnos constantes para, no meio da madrugada entornada, zelar pela integridade física dos seus. Corpo sempre, alma logo se verá.

Sim, calculo os argumentos que certamente romantizarão a excitação alcoólica como o despertar dos sentidos dos jovens para as melhores euforias da existência. Se alinharmos por esse fio condutor, não somente a bebedeira se tolera como se impõe. No final, os pais amigos dos seus jovens filhos recitarão juntos aquelas linhas de Baudelaire: "É preciso estar sempre bêbado. Tudo se reduz a isso; eis o único problema. Para não sentir o fardo horrível do Tempo, que vos abate e vos faz pender para a terra, é preciso que vos embriagueis sem cessar. Mas de quê? De vinho, de poesia ou de virtude, a escolha é vossa. Mas embebedai-vos...". Diante de um grande fatalismo, nada como alguma dose de alcoolismo.

A ironia é que Baudelaire entendeu uma coisa fundamental acerca da bebedeira. Uma bebedeira é o que é por ser uma bebedeira; mas uma bebedeira também é sempre o que ela potencializa. Como assim? Uma bebedeira é um produto final (a pessoa ficou bêbada e pronto), mas a bebedeira é também um processo (a pessoa, ao ficar bêbada, ficará muitas outras coisas além disso). Os males de uma bebedeira veem-se naquilo que ela provoca imediatamente na saúde de quem a pratica, mas os males da bebedeira veem-se também em toda uma outra lista de fatos que se seguirá através dela. Todos os bêbados, ou ex-bêbados preferencialmente, sabem que o pior que a bebida lhes fez não foi necessariamente o efeito físico consequente.

A Bíblia, ainda antes de Baudelaire, entendeu isso. Todas as pessoas são também veículos. Conforme o ocupante do veículo, muda a viagem. Uma pessoa se for um veículo ocupado pela pinga chegará a um lugar; outra pessoa com outro ocupante a outro lugar chegará. "E não vos embriagueis com vinho, no qual há dissolução, mas enchei-vos do Espírito" (Efésios 5.18). Nessa medida, as Escrituras, mais do que simplesmente proibirem entornamentos, recomendam os entornamentos certos, que neste caso passavam por uma disponibilidade tal para Deus que a pessoa falava, cantava, louvava e agradecia vivendo a igreja como o palco dessa exuberância (Efésios 5.19-21). Não é, por isso, por acaso que hoje as igrejas sejam lugares que assustam mais do que algumas velhas tabernas (e não é, por isso, por acaso que a primeira apreciação que os não cristãos fizeram da energia espiritual dos cristãos no dia de Pentecostes foi a de uma bebedeira).

Se quisermos ser rigorosos, eu não facilito bebedeiras aos meus filhos porque o excesso é em si mau; eu quero os meus filhos sem bebedeiras para que eles saibam que o excesso certo é o de Deus neles. Não educo os meus filhos para serem, nesse sentido, irrepreensivelmente moderados — de gente moderada está o inferno cheio. Sendo nós vasos (outra imagem bíblica), de alguma coisa nos devemos encher, não haja dúvidas. E o propósito não é ficar pela metade, concordamos. Não desejo os meus filhos espirituosos, desejo-os espirituais. É esse o brinde que espero poder fazer com eles no futuro.

02/10/22

Suspeitar de soluções

Que as pessoas boas são chatas, parece não haver dúvidas. Talvez por isso, geralmente fazer a coisa má pede mais talento de nós do que fazer a boa. Pensem como os grandes crimes, por exemplo, nos dão histórias muito mais emocionantes do que as filantropias mais comoventes. Por alguma razão nunca se venderam histórias de boas ações como se vendem *crime stories*. Não escolhemos séries na Netflix acerca de como aquela pessoa viveu uma vida inteira fazendo o bem, não interessa a quem. Já o contrário...

Quando nos forçamos a gostar de gente boa tornamo-nos tão chatos como essa gente boa já é. É por isso que vivemos irremediavelmente entediados por um mundo que desfila heróis atrás de heróis, causas atrás de causas, numa fila indiana de solidariedade que nos comprime como um cordão de segurança. Quando ser bom se torna a razão de ser, a maldade parece a única forma de liberdade a sério. Foi por essa brecha que a serpente explorou a imaginação dos moradores do Éden: que tal ser livre como uma forma de conviver com algo além do bem? As pessoas duvidam que o Diabo exista, mas continuam a papar a sua tentação mais básica. Quanto mais solucionados nos sentimos, menos praticamos as melhores modalidades da suspeita.

E esse torna-se um dos nossos maiores problemas: só esperamos problemas dos problemas. Nem sempre foi assim. Em épocas menos apressadas as pessoas também esperam problemas das soluções, e é essa atenção que as torna mais refletidas. Esse é um dos valores mais preciosos e mais difíceis de promover, por exemplo, entre os meus filhos e a minha igreja. Temos de passar uma vida inteira a lembrar que qualquer tolo sabe que um problema provavelmente gerará outros mais, mas só um sábio está preparado para também os esperar de uma solução.

Creio que esse é um dos desfasamentos atuais na relação do mundo com o cristianismo, em particular. O cristianismo (e mais especificamente o protestante, que é o meu) sempre se distinguiu de todas as outras fés religiosas pelo seu desconforto diante do bem. Como assim? Onde todas as outras religiões esperavam grandes coisas das coisas boas, o cristianismo desconfiava e preparava-se para até das coisas aparentemente boas virem más. Vindo do monoteísmo judaico, o cristianismo sabia que, por exemplo, adorar o Deus certo (o único, diante de uma multidão de muitos) era tão importante como adorar o Deus certo da maneira certa. O pavor que os judeus e os protestantes (e até os muçulmanos!) têm à produção de imagens e esculturas representando Deus ilustra esse princípio em ação: não é apenas o conteúdo do que se adora, mas é também a maneira como se o faz ("o meio é a mensagem", já nos ensinava o católico MacLuhan). É bom, portanto, suspeitar da solução mais óbvia de adorar Deus.

Adorar as coisas certas da maneira errada não é assim tão diferente de adorar as coisas erradas ainda que com uma intenção meio certa. O rigor do cristianismo sempre foi alto. Um mundo que julga que o conhece, distrai-se da razão de ser das velhas exigências da fé. A ironia está também no fato de que, descristianizando-se a sociedade (seja lá isso o que for), ela perde familiaridade com esses padrões árduos. E nós podemos saber que vivemos numa sociedade que não percebe nada de cristianismo precisamente por ela deixar de suspeitar de soluções. O fato de hoje a nossa imaginação moral estar espalmada, dividindo o mundo entre lados certos e lados errados da história, traduz à perfeição o analfabetismo de não compreender que alguns dos maiores problemas nascem do que a determinado momento nos pareceu ser a melhor solução.

Lutero sabia que o melhor que podia acontecer a uma pessoa era ela saber-se justa e pecadora, alcançada pela graça de Jesus. Isso é substancialmente diferente de dividir o mundo entre os justos e os pecadores, como hoje tende a acontecer. O verdadeiro santo não é o bom; é o que se sabe o primeiro dos maus. Se alguma verdadeira bondade existir, ela está na certeza de que o pior que já vimos foi visto cá dentro, nas entranhas de quem somos. Enquanto não suspeitamos das soluções que nos julgamos ser para os outros, além de bonzinhos somos uma chatice — provavelmente a pior forma de maldade.

12/07/22

Parte II

A ESTUPIDEZ COMO PARTE CONSIDERÁVEL DE NOSSA EXISTÊNCIA

A internet como um anticristo que nos fulmina pela fartura

Num documentário que outro dia vi na Netflix fazia-se pouco das teorias da conspiração e dos seus alegados aderentes. Sempre me pareceu que agarrar uma teoria da conspiração corresponde à insegurança típica de quem teme não conhecer todas as circunstâncias que nos cercam. Nessa medida, a teoria da conspiração funciona como uma vacina para a doença que a vida real é: "A mim ninguém me pode enganar porque eu sei o que todos os outros estão demasiado enganados para saber". Que tipo de vida vem da garantia de não poder ser enganado? Se o tipo de conhecimento que o teórico da conspiração procura é um antídoto contra a possibilidade de engano, ele acabará o mais enganado de todos, parece-me.

Mas, por outro lado, também me identifico com as teorias da conspiração. Como Joseph Heller escreveu em *Ardil-22*, "não é por seres paranoico que significa que não andem atrás de ti". E quando essas tocas de coelho me atraem, não me custa acreditar que a internet, por exemplo, é um tipo de anticristo. Não sou otimista quando nos entregamos à internet sem uma ponta de paranoia. Afinal, tão assustadora é a pessoa que se julga incapaz de ser enganada como aquela que julga que o mundo não arranjará maneira de, volta e meia, conspirar contra si. E, acreditem: em quase trinta anos de convívio com a internet, os malefícios de usá-la sem uma ponta de paranoias têm sido uns quantos. Logo, este texto contribui para a causa: menos internet, mais vida.

A internet fez-nos ricos daquela maneira que facilita a nossa perdição. Há um ponto em que o nosso acesso à informação se torna uma posse desmedida, sem celeiros para a comportar. É a partir dessa fartura que precisamos criar novos armazéns para o tanto que temos. Temos tanto, tanto, tanto, que nem sequer sabemos por onde começar a usufruir dele. Daí que pensamos o que pensou aquele pobre rico na parábola de Jesus: "Que farei, pois não tenho onde recolher os meus frutos? E disse: Farei isto: destruirei os meus celeiros, reconstruí-los-ei maiores e aí recolherei todo o meu produto e todos os meus bens" (Lucas 12.17-18). Para todos os efeitos, a internet também é o nosso excesso a precisar de celeiros novos e a tragédia que daí nasce.

O nosso problema hoje não é ter; é escolher no muito que temos. É dessa dificuldade que veio a era dos curadores, que é apenas uma palavra supostamente aperaltada para quem faz o trabalho sujo de selecionar. Hoje há curadores de *playlists* do Spotify, tal a nossa necessidade de aconchego no excesso. Até eu dou por mim, apalermado, funcionando como curador de mim próprio, estabelecendo listas das canções que vou ouvir e dos filmes que vou ver, agora que por tão pouco tanto me é dado. Antes podemos ter achado que o mal que vivíamos se relacionava com o que não tínhamos; hoje o mal que vivemos vem do tanto que temos e que não é humanamente possível usufruir. Para alguém ouvir ou ver tudo o que é seu, através da internet que tem, precisa de uma eternidade que rapidamente mais se assemelha a uma pena do que a um privilégio.

Continua a surpreender-me que as imagens mais eficazes de maldição na Bíblia não venham de pessoas com mãos vazias, mas de pessoas com mãos cheias. Por exemplo, também é a expressão dessas mãos vazias que está em causa quando num serviço de culto alguém as eleva em adoração. Pessoas de mãos no ar num culto evangélico celebram a vitória dos desapossados, que nada têm a mostrar a Deus, aos outros ou a si mesmos. Não têm nada e por isso levantam as mãos ao ar, num sinal que não é louvor sem ser de rendição também — quando somos assaltados fazemos o mesmo. Amo levantar as mãos no culto porque diante de Deus não há nada melhor do que mostrar que não trazemos nada na manga. Somos como viemos: nus, miseráveis, pedintes. Gente endinheirada não levanta as mãos que tem cheias.

Não quero, no entanto, idealizar a pobreza (no texto "O esnobe que julgava amar os pobres" tentei explicar que o pobre de outrora era mais do que o que não tinha dinheiro — era aquele considerado amaldiçoado). Sou suficientemente protestante para desconfiar de mistificar a carência alheia num passe fajuto de vidência. Ser pobre, como os miúdos hoje dizem no inglês original, *sucks*. Mas também é verdade que o que estraga a vida da maioria dos portugueses no século 21 não é a proximidade da pobreza mas as intermitências da prosperidade (esta saiu à Saramago...). E, neste caso, penso na riqueza com que a internet nos vai convencendo dos muitos que assumimos: lemos muito, vemos muito, sabemos muito. Estamos no processo de construção de novos discos, novas *clouds*, novos diques para as nossas torrenciais sabedorias. Sábios? É mais o contrário: loucos.

Se arranjarmos depósitos para o tanto que temos poderemos finalmente descansar e, então, comer e beber, regalar-nos, enfim, no tanto que acumulamos. E Jesus remata, com uma ponta de humor saudavelmente sinistro: "Ó otário, morres hoje ainda e o que juntaste vai ficar para quem?" (a paráfrase, bastante livre, é naturalmente minha). No catolicismo é normal falar na preferência que Deus tem pelos pobres. Fica bonito dizer isso, mas tenho dificuldade de encontrar substância bíblica na ideia. Parece-me mais apropriado falar no desprazer que Deus tem com os ricos, o que não é necessariamente a mesma coisa que amar preferencialmente os pobres. Sobre quem acumula pende uma desconfiança divina — isso sim. Porque há uma medida em que quem acumula não arrisca, não corre o risco de perder. E numa religião que tem o momento-chave na morte numa cruz, arriscar não perder é a blasfêmia das blasfêmias.

A internet também é o que nos aconteceu por termos tanta informação acumulada. E se não pretendo louvar qualquer tipo de santa ignorância, sei (de saber mesmo) que só fica o de que se abdica (saiu em rima mas não foi proposital). Na fartura, reaprender a ter fome é lutar contra o anticristo.

26/06/22

A maldição do monopólio do *cringe*

Uma das lutas mais árduas da Família Cavaco é a mãe e o pai tentarem convencer os filhos de que *Seinfeld*, no seu humor aparentemente mais ingênuo, não tem de se envergonhar de *The Office*. Essa não é uma discussão qualquer, porque o que está em causa é a salvação dos nossos miúdos: eles ainda não admitem mas, ao terem dificuldades com um humor que não se baseia no que é constrangedor nas pequenas circunstâncias do dia a dia (o *cringe*, como agora se diz no inglês original), é com a própria alma deles que se embaraçam. Sim, tem uma certa piada rirmos dos absurdos corriqueiros, mas, cuidado!, não vás tu viver uma vida de fantasma para os evitares.

Como é que chegamos ao ponto de termos filhos que se envergonham tanto com tão pouco ou, novamente no inglês original que hoje se usa, hipersensíveis ao *awkward*? O livro *The Coddling of the American Mind* [O mimo da mente americana], por exemplo, ajuda a compreender isso tratando do novo fenômeno de ansiedade na juventude e de como uma política de querer fazer os jovens sentirem-se sempre seguros piora tudo. Os autores, Jonathan Haidt e Greg Lukianoff, escrevem que "a crise de saúde mental" que se alastra na iGeneration é em grande parte alimentada pelos *smartphones* e pela educação paranoica que nós, paizinhos extremosos, damos.

Nasce então uma tese curiosa dessa educação de pais em pânico a crianças em coletes salva-vidas. Globaliza-se o pavor do constrangimento social precisamente na geração que mais globalmente socializa. Os nossos filhos, ao poderem ter milhares de ligações *on-line*, impensáveis para nós no passado, desaprendem a ligação normal com alguém fora da rede. Quem é que ainda não notou que a nossa descendência chega à maioridade tantas vezes incapaz, por exemplo, de articular um diálogo com um desconhecido? Quanto mais se explora com naturalidade o convívio não físico, mais se evita o físico — daí a tal hipersensibilidade com o constrangimento social, o *cringe*, o *awkward*. O amor que a juventude tem ao *cringe* é, paradoxalmente, o seu terror ao convívio sem as saídas de emergência a que a internet a habituou.

Convívio implica constrangimento. Não é possível ter o melhor das pessoas sem correr o risco de topar com o pior delas. Essa ambivalência tem caracterizado o relacionamento entre as pessoas desde que elas existem. Tanto assim é que, por exemplo, podemos sentir-nos constrangidos quando, convivendo com alguém, algo corre excepcionalmente bem ou excepcionalmente mal. Tanto um elogio como uma censura podem deixar-nos embaraçados. Ficar sem saber o que fazer é a condição natural de quem lida com uma existência que não pode ser protegida por um roteiro prévio. Como diziam os antigos, "é a vida", como um conselho de que é melhor ir a ela do que tentar evitá-la. Quando tratamos a vida dos nossos miúdos como um bicho doméstico que amansamos, eles de qualquer pequena mordida esperarão a morte.

Os cristãos lidam com tudo isso com unhas e dentes mesmo, e é por isso que a encarnação é central. Até vivermos em carne e osso, não vivemos. Se Deus, que criou as pessoas, quis tornar-se uma para lidar com elas, como é que nós, pessoas, poderemos querer lidar uns com os outros como se deuses fôssemos? Esta geração pode até ser menos religiosa, mas nunca foi tão literalmente metafísica. Qualquer desmaterialização do convívio se torna necessariamente uma espécie de descristianização da sociedade. Nessa medida, o *cringe* é uma vitória do gnosticismo, e não é casual que ele triunfe numa época derrotada na compreensão do que somos também a partir dos corpos que temos.

O monopólio do *cringe* sobre as gargalhadas dos nossos filhos, tendo a sua piada, tem a sua catástrofe: também representa uma perda de familiaridade com tudo aquilo que naturalmente acontece quando pessoas, de corpo real, se encontram. De certo modo, estamos a rir mais uns dos outros para evitar rir uns com os outros — e não saber estar fisicamente com o outro é perder a oportunidade da piada mais brilhante de todas, que é aquela acerca de mim. O excesso de *cringe* é uma solidão confortável que nos impede de saber rir de nós próprios, desajeitados nos nossos corpos. As gargalhadas até podem aumentar, mas o humor, esse, perde-se (que, não estranhamente, também pode ser entendido como o verdadeiro estado do nosso espírito).

27/03/22

Ser esquecido

É muito do Diabo ter medo de ser esquecido. Há uma maneira de querer estar ligado aos outros que é das piores coisas que podemos desejar. Sim, encontrar paz na companhia de Deus e mais ninguém é uma ideia simultaneamente bíblica e assustadora. Por isso mesmo, a santidade apavora. O santo não ganha concursos de popularidade. O santo, como os antigos costumavam dizer, era alguém *ok* com remeter-se à sua insignificância. Pessoas remetidas à sua insignificância aterrorizam-nos quando aí ainda não chegamos.

Tendemos a substituir a santidade pela popularidade. Se a paz com Deus deixar de ser um valor, é provável que a paz com os outros, as entidades que na falta de Deus mais nos impressionam, se torne a coisa mais sagrada que existe. Nem sequer precisamos ensinar os nossos filhos a admirarem a paz com os outros. Eles vão crescendo e logo sofrendo as dores que aparecem quando, por alguma razão, não experimentam a paz com os outros. Em grande parte, os nossos filhos aprenderem a viver em sociedade, isto é, em paz com as pessoas, é também aprenderem a ser muito do Diabo, temendo a todo o momento serem esquecidos. Há quem lhe chame apenas socialização.

Sem que nunca precisássemos ensiná-los, os nossos filhos crescem especialistas em comportarem-se de acordo com o medo de serem esquecidos. Nessa medida, já se tornaram adultos como nós somos. Receamos, nós e eles, sermos abandonados, mal compreendidos, colocados de parte, mal vistos. De certo modo, aprendemos a viver para os outros na pior acepção que viver para os outros pode ter. Cultivamo-nos para deixar que sejam os outros a darem-nos o nosso significado, o que nos enche as tripas e o coração. Ao valorizarmos os outros assim, desvalorizamos aquilo que em nós os possa ajustadamente colocar em causa. Amamo-nos servilmente sob o pânico de sermos esquecidos no significado que os outros nos dão.

Há algum tempo, mantive um *podcast* chamado Odeio Artistas. A premissa era promissora porque os nossos artistas são no geral um castigo e o conceito era confrontá-los com o fato (não tem de ser "era" porque qualquer dia posso voltar a ativar aquelas conversas). Quando entrevistei os três convidados mais populares, dei-me conta de uma curiosa contradição. Ou melhor, não tinha de ser contradição mas era, sem dúvida, um tipo de paradoxo. O Ricardo Araújo Pereira, o João Miguel Tavares e o Pedro Mexia (o insigne trio do programa humorístico Governo Sombra) não tinham redes sociais. E, sim, considerei isso uma espécie de santidade da parte deles. Eles rejeitaram a ideia, claro, mas eu não (apesar de eles serem muito cultos, continuam a ter aquele medo meio pós-moderno da palavra santidade, como se santidade também não significasse inteireza). Não sei se é um aspecto geracional, mas, desse pessoal que veio do *boom* dos blogues do início do milênio, muitos resistiram ao apelo barato das redes sociais, e eu sinto-me mal por não fazer parte desse grupo — quero ser mais santo não revelando o meu medo de ser esquecido através das trapalhadas do Instagram... Enfim, orem por mim.

Mas não podemos fugir do fato de que ser lembrado também é uma coisa boa. Nas Escrituras as pessoas salvam-se por serem encontradas na memória de Deus. Uma das histórias mais bonitas que nasce da boa lembrança do Criador é a de Agar. Agar era a escrava egípcia de Sara, usada para lhe remediar a questão da esterilidade. Quando os filhos que Sara podia ter eram os de Agar, Agar portou-se como superior à sua senhora. Abraão (que na altura ainda era só Abrão) quis saltar fora da confusão, e Sara humilhou a sua escrava a ponto de ela fugir. Esbaforida no deserto, Agar é encontrada por um anjo que a instrui a regressar obediente a Sara — aquela pobre mulher ainda daria origem a um povo inteiro a partir do seu filho Ismael. A resposta dela é única e vai ao ponto de dar um nome a Deus: "Tu és Deus que vê!" (Gênesis 16.1-16). O Deus que vê é o Deus que lembra, e isso significa que até os mais dispensáveis, como Agar naquele momento era, podiam ser recordados. Ser salvo é ser encontrado na memória divina.

Logo, um dilema de qualquer pessoa deve ser este da memória: quando é que devo não me importar com ser esquecido e quando é que devo importar-me? Se os outros tomarem para nós o lugar de Deus, vivermos na memória e cuidado deles é uma verdadeira maldição. Mais valia perdermo-nos no deserto para mudarmos de vida. Se, pelo contrário, formos vistos por Deus, encontrados pela sua memória, até no deserto viveremos sem solidão. Em dias de contagens constantes de visualizações dos outros, vermo-nos vistos por Deus é ainda mais urgente.

19/06/22

Assentados no trono celeste

Se não pudermos extrair algum divertimento da dor dos outros, para que é que aqui andamos? Claro que para isso funcionar de um modo minimamente civilizado, e portanto não ser apenas uma demonstração de crueldade, convém passar algum tempo. O tipo de divertimento aceitável a partir da dor dos outros parece vir convenientemente qualificado pela passagem substancial desse mesmo tempo. Rir-me de alguém que acabou de cair é sinistro; rir-me de alguém que caiu há duzentos anos parece ser até saudável. Talvez também fosse isso que estava envolvido naquela velha ideia de o tempo curar tudo. Com o tempo a passar, lidar com as maiores aflições pode dar saúde.

No fundo, também é isso que está em causa numa invenção recente em Lisboa chamada "Quake". Eu e a minha família fomos durante uma hora e pouco experimentá-la ali mesmo ao lado do Museu Natural dos Coches, em Belém. Trata-se de um tipo de exposição da catástrofe que foi o terremoto que destruiu Lisboa em 1755 e resultou na morte de milhares. Mas é uma exposição que, de certo modo, nos envolve jogando com todo o ambiente que estaria em causa naquela data fatídica. Como vos posso aliciar para irem ao "Quake" evitando o agora pecado imperdoável dos *spoilers*? Digamos que, conhecendo melhor a tragédia que foi aquele dia terrível, a pessoa pode divertir-se. Sim, nesse sentido, retomo a tese do primeiro parágrafo: a dor dos outros, não somente impressionar-nos-á, como também será o pretexto para alguns momentos de divertimento único. E mais não detalho.

Quando saí do "Quake" não me senti culpado pelo terremoto ter inspirado uma tarde lúdica à Família Cavaco. De fato, o que mais mexeu comigo não foram as propriedades flexibilíssimas do tempo, alquimista de dor em divertimento; mexeu comigo a nossa urgência atual de, passando por sofrimentos coletivos, os imputarmos à nossa culpa. Sendo eu um pregador do evangelho, não deveria celebrar alguma capacidade de assumirmos a responsabilidade pelo mal que nos cerca? Sim, mas não me parece ser isso que está em causa. Tento explicar melhor: na exposição "Quake" olha-se com estranheza para o tempo em que Deus podia ser culpado por uma tragédia natural — como se associar o alegado Criador ao mal que nos acontecesse pertencesse a um estágio primitivo da evolução humana. Hoje Deus já não recebe essas culpas, mas não é porque passamos a achá-lo inocente; é porque temos quase a certeza de que ele é inexistente.

E é aqui que está um curioso problema contemporâneo: estando Deus livre de ser culpado pelos males que nos acontecem por aparente inexistência da sua parte, quem sobra para culpar? Quem arranjamos nós hoje para substituir Deus? Quem arranjamos nós hoje para ser a origem da parte mais substancial das tragédias coletivas? Nós, claro está. Nós, as pessoas, estamos no lugar de Deus. Se algo correr mal a uma escala severa, nós seremos os presumíveis culpados. E essa foi também a insinuação que a exposição "Quake" deixou sobre a minha má consciência: o que ando eu a fazer para evitar o próximo e inevitável tremor de terra que voltará a arrasar Lisboa? Portanto, e se quiser ser mais específico, mesmo que corra o risco de dar um *spoiler*, devo reformular o apelo que fiz para visitarem a exposição: com o "Quake" a pessoa diverte-se a partir da dor dos antigos, mas provavelmente sai já carregada com a dos futuros.

É nesse sentido que tenho saudades de um tempo em que podíamos culpar Deus. E isso não significa qualquer perda de cristianismo da minha parte. Poder culpar Deus é uma parte fundamental de lutar com ele. E só quem luta com Deus pode ser vencido pelo seu amor. Uma das maiores desesperanças que vou vendo acontecer é as pessoas sofrerem sem lhes passar pela cabeça culpar Deus. É que quem sofre culpando Deus tenta alguma modalidade de ajuste de contas com aquele que, nessa matéria, só pode ser justo. Mas tentar ajustes de contas com a humanidade é ter de ganhar fé em quem, vez após vez, demonstra ser pouco dado a justiças. Acusar Deus pela culpa que ele não tem tem, pelo menos, o mérito de nessa confusão podermos descobrir alguma em nós — na Bíblia isso acontece a todo tempo.

Também é por essas razões que tenho os teólogos que inocentam Deus das catástrofes naturais como mais insuportáveis do que os ateus militantes. É preferível o erro de atribuir culpa a um Deus perfeito à presunção de inocência de uma divindade que, diante do mal que nos acontece, permanece um espectador de mãos limpas. Se Deus não puder sujar as mãos na nossa desgraça, quem vai? Aliás, o que é a história de Cristo se não a de Deus a ser misturado no negócio de arcar com crimes que não cometeu? A cruz é um momento de esperança porque foi uma ocasião em que a nossa mania de culpar inocentes caiu finalmente sobre aquele que tinha a capacidade de resolver o assunto. O Calvário foi a pior tragédia e foi a melhor vitória: é esse o paradoxo que faz dos cristãos pessoas que, não negando tragédias, sabem que delas podem nascer triunfos. Seguro é: não afastes Deus do pior que te acontece.

Quando estamos certos de que o mundo vai acabar e a culpa é nossa talvez o que esteja em causa não seja a humildade. Talvez seja apenas um sinal de, tendo nós esvaziado Deus da sua onipotência, nos termos achado no seu lugar. E não será isso uma prova de arrogância, afinal? Torturamos sucessivamente a consciência uns dos outros sempre que nos assentamos no trono celeste.

24/07/22

Ter a história do nosso lado

Primeiro, o Bob Dylan sugeriu a ideia de que era de uma presunção insuportável uma pessoa achar que Deus está do seu lado. Na penúltima estrofe da canção "With God On Our Side", de 1964, disparava: "You'll have to decide / Whether Judas Iscariot / Had God on his side". A ideia era que qualquer mau-caráter, incluindo o pior traidor, pode agir na convicção de que cumpre a vontade de Deus. Daqui saídos, a maior suspeita levantava-se já não sobre quem segue o demônio, mas sobre quem está hiperconvicto de que obedece ao Criador.

Mas depois, em 1975, o mesmo Bob Dylan veio a estar convicto de que lhe cabia agora executar os planos divinos. "I'm doing God's work", disse ele em entrevista à revista *People*. "That's all I know." Nem o ex-presidente português Professor Cavaco Silva seria mais assertivo desejando concentrar-se no muito trabalho que sentia ter para fazer. Não devemos, portanto, tomar como eternas as declarações que fazemos nos nossos momentos mais pagãos. Afinal, o tempo tanto pode testar a nossa fé como em seguida oferecê-la em maior abundância, sugeria-nos o vaivém dylanesco.

De lá para cá não foram poucos os retratos que a literatura, a música e o cinema nos pintaram de alucinados, homicidas, assassinos em série, terroristas, e outros nesse elenco de horrores contemporâneos, que declararam não passar de meros executantes de ordens realmente superiores, neste caso, celestes mesmo. Ou seja: quando a desgraça é grande os rastros frequentemente nos levam a gente de religião extrema. E isso a um ponto tal que começa a parecer que qualquer religião, por peculiar que seja, extrema acabará por ter de ser. O maior perigo é julgar ter Deus do seu lado.

Mas será esse um problema exclusivo dos velhos crentes? E quem não tem Deus, o que tem do seu lado? Talvez arranje um substituto tão ou mais eficaz: por exemplo, a História. Quando Deus se ausenta, pode aparecer a História, exatamente assim, com H grande, para nos garantir um propósito preferível às histórias com h pequeno, demasiado irrelevantes. E assim a religião do "lado certo da História" ofereceu o antídoto para a religião do "Deus ao nosso lado". Muda-se a companhia, mas e a presunção? Será muito diferente? Não estou persuadido.

Afinal, é muito mais a partir dessa religião do lado certo da História que os anátemas são hoje pronunciados. Anátema é o estado que descreve quem é colocado fora da comunhão. Com um passado obviamente religioso, o anatemizado deixava de poder ser contado entre os fiéis. O anatemizado é hoje todo aquele que, sendo colocado além do consenso moral mais abrangente, vive por conta e risco do fato de não comungar da assembleia dos do lado certo da História.

Noto que por vezes estranham que use frases como "Deus conduziu-me a...", "Senti-me orientado por Deus para..." ou o mais assustador e singelo "Deus disse-me...". Acho curioso que essa surpresa venha das mesmas pessoas que não hesitam ver à distância o lado certo da História em dilemas que sempre aconselharam prudência aos sábios mais antigos. Eu acho que estou com Deus, os outros acham que estão com a História — no fim de contas, estamos todos acompanhados de parceiros razoavelmente transcendentes. Por que há de o meu ser pior do que o deles?

Admito que qualquer impostor com comichões místicas se pode tomar como unha e carne com Deus — parece-me até bastante bíblico desconfiar pedagogicamente dos grandes amigalhaços do Altíssimo, sem dúvida. Não consigo é aceitar o milagre de os amigalhaços do lado certo da História se verem isentos desse mesmo imposto de suspeita.

25/09/22

Por que tento convencer gente que desprezo?

Volta e meia dou por mim irritado porque pessoas que desprezo suscitam-me diálogos imaginados em que as convenço a reconhecer a sua falta de discernimento. Reparem: a minha irritação não é apenas aquela que essas pessoas desprezíveis me provocam no imediato; é também a de dar por mim a sentir a necessidade de as resgatar da sua burrice. Acabo numa condição duplamente patética porque, se essas pessoas já me repelem, repilo-me a mim mesmo por querer descobrir nelas algo além da sua estupidez óbvia. Detesto-me, sobretudo, quando o que é detestável nos outros assume o volante da minha imaginação.

Uma das estratégias imediatas, diante dessa detestação em circuito interno, é cruzar-me menos com pessoas parvas e, assim, ficar mais desimpedido de diálogos imaginários com elas. Afinal, aborrece-me ser uma máquina automática de conversa virtual com interlocutores desprestigiantes. Na prática, esses interlocutores desprestigiantes estão mais na minha cabeça do que no dia a dia, o que me revela outro dilema: até que ponto é que a minha suscetibilidade a gente tola não é, bem vistas as coisas, uma tolice bastante minha? Se o que é mais desinspirador nas pessoas avança tanto dentro de mim, não serei eu mesmo o maior problema?

Lidar com a falta de discernimento dos outros é uma questão imemorial. Os antigos mais sábios, por exemplo, sugeriam que, para encarar o ridículo da humanidade, era útil um equilíbrio delicado entre convívio, confronto e conformismo. Não era conformismo no sentido de indiferença, mas certamente alguma capacidade de aceitação. É também por aqui que nos chega aquela velha oração pela serenidade, ainda célebre nos Alcoólicos Anônimos: "Senhor, dá-me serenidade para aceitar as coisas que não posso mudar, coragem para mudar as que posso, e sabedoria para distinguir umas das outras". Também devo orar isso, e assim evitar ser cínico. Não quero cultivar prazer diante do desastre da estupidez coletiva.

Por outro lado, não vale a pena negar que a estupidez é parte considerável da nossa existência. O cristianismo, que guia os meus passos, é frequentemente apresentado a partir do que crê, mas não pode ser ignorado a partir do que constata. Os cristãos creem em coisas incríveis e, aos olhos de tantos, até absurdas. Mas os cristãos, crendo nessas coisas incríveis possivelmente absurdas aos olhos de tantos, constatam inevitavelmente que o mundo é feito de muita estupidez. O arrependimento só pode ser um ponto de chegada se a estupidez for um ponto de partida (curiosamente, na casa da Família Cavaco os miúdos não podem chamar "estúpido" uns aos outros, mas sabem que esse diagnóstico espiritual está na Bíblia — a Bíblia inevitavelmente diz o que evito que os meus filhos verbalizem entre si).

Sei que muitos dos diálogos imaginários em que convenço os meus oponentes da sua falta de discernimento são alimentados pela nossa absurda presunção de racionalidade. O modo como estamos inclinados a pensar que pensamos bem é uma tragédia cósmica, minha e de quem tento redimir da estultícia. Søren Kierkegaard, um dos meus santos de eleição, dizia no seu livro *O conceito de angústia* que "o homem não existe durante mais do que uma hora por semana". A nossa vida é um tipo de sono com delírios de grandeza, um doente convicto de que vive o seu período áureo quando afinal se encontra em coma, ligado às máquinas. As nossas discussões são tão infindáveis porque o estoque de sedação ao nosso juízo é inesgotável.

A irritação que gente tonta nos provoca participa no processo de desesperarmos, numa espiral imparável de ressentimento, hipersensibilidade e vingança. O inferno também começa assim. Mas pode surgir um outro momento, preferível, feito de alguma admissão pessoal. Creio que o desprezo que justificadamente merece gente em quem a estupidez abunda é problematizado quando nós mesmos não somos tratados de acordo com a nossa. Também é por isso que a santidade — a capacidade de ser inteiro num mundo todo despedaçado — não existe sem gentileza.

28/11/21

O cativeiro de ser inteligente

Na história da literatura há provavelmente mais textos escritos que tratam a estupidez como estúpida, mas a exceção também existe — nem sempre a tolice tem de ser uma maldição. *O elogio da loucura* talvez seja daqueles exemplos mais imediatos quando, também para criticar a arrogância de um tipo de poder (neste caso, o religioso), Erasmo de Roterdã recomenda não sermos sábios o tempo todo. Só uma pessoa pouco inteligente toma a inteligência como uma chave que lhe abre todas as fechaduras da vida.

Nas linhas de Erasmo não fica complicado entender que, se fôssemos assim tão desprovidos de loucura, a sociedade como a conhecemos desapareceria. Como é que os amantes se amariam se não negligenciassem, mais ativa ou passivamente, os lapsos uns dos outros? O mesmo se aplicaria à generalidade das amizades e de todas as relações significativas em que o segredo parece estar também nesse interessante cultivo de minimizar as incoerências lógicas das pessoas que consideramos. Fôssemos nós tão inteligentes como gostamos de nos julgar, a sociedade desabaria numa gargalhada cruel diante do absurdo constante da nossa tolice.

Num artigo de 2016 na revista *The Atlantic*, o jornalista David H. Freedman abordou o mesmo assunto de outra maneira. O texto chama-se "The War On Stupid People" e nele escreve que, se comparássemos nos Estados Unidos a última década com a de 1950, no século passado, concluiríamos que vivemos tempos difíceis para ser estúpido. Ou seja:

antes ter um QI mediano ou inferior não interferiria grandemente com uma existência recompensadora, mas agora abriu-se a época de caça à estupidez: "As pessoas que mais facilmente se atirariam de uma ponte do que usariam um termo pejorativo para raça, religião, aparência física ou deficiência, não hesitam em chamar estúpido a alguém: de fato, depreciarmos abertamente os outros por serem 'estúpidos' é um passo automático em quase todo tipo de discussões".

Ainda no mesmo texto, Freedman nota que a inteligência, além da crueldade, pode também não ser tão profissional assim: "O professor da Harvard Business School, Chris Argyris, sugere que as pessoas inteligentes podem dar os piores empregados, em parte porque não estão habituados a lidar com o fracasso ou com a crítica. Múltiplos estudos concluem que os recursos interpessoais, a autoconsciência e outras qualidades 'emocionais' preveem melhor um desempenho profissional forte do que a inteligência convencional". Ser demasiado esperto pode ser uma burrice.

Mas gostaria de adicionar ainda outra desvantagem à inteligência. Ser inteligente pode ser um verdadeiro cativeiro. Como assim? A minha resposta baseia-se numa amostra muito limitada, que é a da minha experiência. Depois de argumentos de Harvard, já estão a ver o declínio argumentativo deste texto. Aceitem-no, ainda assim, sem a crueldade típica que vos pode ser tão natural, caso sejam inteligentes. O ponto do meu débil argumento, neste caso, é este: não há nada pior do que ter de provar a nossa inteligência aos outros.

Esperar o reconhecimento da nossa inteligência é uma forma de escravatura. O verdadeiro amor, que Erasmo sabia parte do manuseio da tolice e da esperteza, não desprezando as úteis funções do cérebro, não o coloca na vitrine da nossa admiração. É também por isso que Simone Weil dizia que, quando muito, a inteligência servia para terraplanar. Enquanto nos admiram a inteligência, não fazem assim tanto por nós.

Pode até dar-se o caso de definharmos quando vivemos para mostrar que pensamos bem. Colocamos de livre vontade uma corrente à volta do nosso pescoço. Atrelamo-nos às mãos de donos, feitos servis e em busca de festas de reconhecimento. Passamos eventualmente a ser educados a morder quem desafie essa relação de propriedade que a inteligência usa para nos subjugar — somos cãezinhos do Sr. Cérebro.

No meu caso, raramente estou tão mal como quando me empenho em defender a suposta inteligência que tenho. Torno-me racional no sentido de rasteiro, persuasivo no sentido de perverso, convincente no sentido de coercivo. As vitórias da inteligência são festivais violentos de acumulação de golpes e passamos a viver num ringue. Daí vindos, não há nada como ser estúpido. Não há alívio como o de desistirem da superioridade do nosso pensamento. Aí sim, talvez ganhemos pela primeira vez um novo olhar sobre as coisas, um horizonte que se expande quando mexemos o pescoço livre da coleira da inteligência.

20/11/22

Por que não acredito assim tanto em perguntadores

Não é preciso ser muito inteligente para entender que o vento não sopra favorável para os dogmáticos. Gente cheia de certezas passa por gente ignorante e a ignorância louvada não é essa. Há um tipo de ignorância louvada, de fato. Mas essa ignorância louvada é aquela atribuída a Sócrates no célebre "só sei que nada sei". Isso significa que há dois tipos de gente ignorante: há os ignorantes porque acreditam que podem saber coisas, e esses são os ignorantes que mais fácil e publicamente podem ser desprezados; e há os ignorantes que duvidam que possam saber coisas, e esses são os ignorantes que mais fácil e publicamente podem ser louvados. A pessoa que julga que sabe é ignorante da forma má. A pessoa que sabe que não sabe nada é ignorante da forma boa. O ignorante mau e o ignorante bom, portanto.

A verdade é que, dependendo do dia, me reconheço nas duas formas de ignorância. Volta e meia sou o ignorante mau, dogmático, porque acredito mesmo nas coisas que julgo saber. E volta e meia sou o ignorante bom, cético, porque duvido sinceramente de certezas que já tive. Acho que não é saudável para ninguém viver exclusivamente num desses tipos de ignorância. Aconselho até, a bem de alguma diversidade, que reconheçamos que sabemos saltitar entre uma ignorância e outra. Mas deparo-me com uma proibição crescente do primeiro tipo de ignorância. Sinto que há quem queira ver interdita a primeira forma de ignorância, aquela dogmática em que a pessoa julga mesmo saber alguma coisa. Como se se impusesse uma regra estranhamente absoluta: só é possível saber-se que nada se sabe. Assim, por decreto.

Esse louvor precipitado da ignorância boa, aquela que pertence ao cético glorificado, frequentemente me parece tão rude quanto ridículo. Esse louvor da ignorância boa adora também em forma de feitiços e abracadabras. Por exemplo, esses ignorantes bons repetidamente dizem coisas como: "Não estou aqui para dar respostas, mas apenas para fazer perguntas", como se o poder de fazer perguntas não pudesse ter uma arrogância tão grande como o de assegurar respostas. Ou seja, outra simplificação é imposta: perguntar é típico do ignorante bom, ao passo que responder é típico do ignorante mau. É nessa dinâmica que se consagra o poder contemporâneo do perguntador. O perguntador é o novo visionário porque o que de mais nítido se pode ver é que não há respostas. O único oxigênio a respirar é o das perguntas.

Famintos que somos de novos arrebatamentos, nasce daqui a mística do perguntador, o ignorante bom. Nós adoramos, louvamos e santificamos perguntadores. Os perguntadores são os novos místicos que, a partir da nitidez que encontram em não haver respostas, iluminam as trevas que nos rodeiam a cada vez que sucumbimos à tentação de julgar tê-las. Os perguntadores são os nossos oráculos a cada vez que a bruma do nosso dogmatismo nos atrapalha sugerindo-nos que podemos saber alguma coisa. Esses oráculos que os perguntadores são restituem-nos ao nosso verdadeiro lugar, que é o de aceitar que apenas podemos tatear no nosso desconhecimento. Os perguntadores, não somente sabendo que respostas não nos são acessíveis, impõem-nos, com aquela sábia ignorância boa deles, as perguntas que deveríamos estar a fazer.

Os perguntadores ensinam-nos a colocar questões cada vez melhores, cada vez mais eficazes em desmascarar a ignorância má de quem acredita haver respostas. O reconhecimento crescente dos perguntadores deve persuadir-nos do pecado fatal de ser afirmativo. Nem todas as ignorâncias são boas, recordemos, e a primeira, a má, que acredita em respostas, deve ser um projeto abandonado à medida que a ignorância boa, a que sabe não ser possível saber, avança. No fundo, e apesar de haver alguma cautela para que a linguagem da ignorância boa não soe religiosa, ser um perguntador é uma bem-aventurança. Não é só o fato de o ignorante mau, o que acredita no que julga saber, estar enganado: ele é proprietário de uma vida má também. O ignorante bom, o que sabe não ser possível saber, não só não tem uma compreensão má como tem uma vida boa.

Mas dá-se o caso de que cada vez menos acredito nesses perguntadores. Por quê? Porque os perguntadores, os ignorantes bons, tendem a ser altamente seletivos com o uso da humildade epistemológica, sua virtude máxima. Na desconfiança constante das respostas dos outros, os perguntadores acarinham as perguntas que são as deles. Aquele excesso notável de reverência que os respondedores praticavam com as suas respostas, praticam agora os perguntadores com as suas perguntas. Se podemos admitir que o mundo está cheio de respostas estúpidas, de fato, não façamos tão ligeiramente das perguntas do perguntador o seu antídoto. O perguntador não aboliu o privilégio que antes era do respondedor; apenas tomou-o para si. O dogma passou das respostas para as perguntas, mas ainda continua a ser dogma: os que antes dominavam pelo muito que afirmavam são os que agora dominam pelo que muito perguntam.

Claro que há sempre modos de ignorância inferiores preferíveis a modos de ignorância superiores. E pelos seus modos os conhecereis, de fato, sejamos nós ignorantes dos maus ou dos bons. Mas têm sido poucos os perguntadores que conheço que praticam ceticismo com as perguntas que fazem. Pelo contrário, encontro perguntadores emplumados em questões contínuas como quem orientou, em dilemas de grau variável de sinceridade, um escudo para uma existência realmente absurda a ponto de, volta e meia, nos poder surpreender com respostas. Que ceticismo nos salvará quando dermos por nós acreditando sinceramente no que julgamos saber? Espero que haja perdão para ignorantes maus desses, num mundo que já resolveu anistiar os bons.

11/12/22

[illegible] O que me passou [illegible] para as perguntas [illegible]
[illegible]
[illegible]
que [illegible]

[illegible]

[illegible] de [illegible]

[illegible]

[illegible]

Parte III

O País Relativo e os países relativos

Como maltratar brasileiros

O brasileiro não sabe que, se tivesse chegado a Portugal nos anos 1980, era rei e senhor. Era o tempo de um país fechado em casa à noite, derretido diante das telenovelas da Globo. Quando alguém do Brasil se dignava a pôr os pés aqui, a aclamação era total. Desbravavam o nosso futuro na televisão, na publicidade e nos tratamentos dentários. Nas igrejas evangélicas, os brasileiros eram missionários e pastores que flutuavam um palmo acima dos restantes mortais, santificados numa religião que não tem santos. Portugal era todo deles. O início dos anos 1990 mudou tudo. E geralmente atribui-se essa mudança à Igreja Universal do Reino de Deus.

O brasileiro não sabe que a IURD (como dizemos com desdém) mudou o jogo quando se atreveu a julgar que a liberdade religiosa em Portugal era mesmo liberdade religiosa. As pessoas cultas, que obviamente nunca maltratam ninguém, acorrentaram-se ao Coliseu do Porto para impedir a queda de um símbolo nacional no culto da ignorância sul-americana. Como junto com os pastores da seita vinham prostitutas, domésticas e empregados de restaurantes, conseguimos com sucesso desprezar todos os brasileiros sob a aparência de defendermos a cultura portuguesa.

O brasileiro não sabe que os anos 1990 (e o início do milênio) foram a glória dos maus-tratos que lhe demos. O comediante Herman José em horário nobre misturava no mesmo sotaque pregadores e rábulas e o país ria, certíssimo da nossa superioridade. Claro que aqui e ali condescendíamos em continuar a encher nossas casas de espetáculo nos concertos do Caetano Veloso, em passar luas de mel no Nordeste e, até, permitir que alguns dos nossos (classe média a atirar para a baixa, claro) casassem com uns quantos deles (sei do que falo porque me recordo de dizer à minha irmã Rute que ela podia casar com quem quisesse, exceto brasileiros). A chegada do Alessandro à Família Cavaco demonstrou a besta que eu era e, nesse sentido, trouxe um tempo novo.

O brasileiro não chega preparado para um mundo que suspeita daquilo que ele idolatra: a alegria. As razões para isso são muitas, mas religiosas também. Uma vez escrevi um texto chamado "Os evangélicos são os pretos do cristianismo" (googlem) em que trato do assunto, que agora faz parte de um livro primeiramente editado no Brasil e intitulado *Arame farpado no paraíso: O Brasil visto de fora e um pastor visto de dentro*. Por exemplo, quanto mais um brasileiro elogia Portugal à sua chegada, menos Portugal o receberá. Como a história da nossa desconfiança lhes é desconhecida, a exuberância que os brasileiros usam naturalmente para se quererem aproximar torna-se o que os manterá para sempre longe, mesmo que entre nós.

O brasileiro não sabe que, mesmo quando não tem religião, a fé que tem no futuro nos é blasfema. Em 2010, gravei uma canção chamada "Doutor Soares", dedicada à tragédia que foi termos Mário Soares como presidente da Comissão de Liberdade Religiosa. As vetustas e vigilantes palavras do patrão da nossa democracia diziam que "os protestantes evangélicos são muito fanatizados", senso comum ainda hoje para sabermos que essa é a religião que só com muito custo toleraremos, especialmente aos pobres do Sul Global. Portugal tem pouco Deus porque tem pouca gente.

O catolicismo consegue ainda no século 21 o feito de deter o monopólio da seriedade e todos os outros credos são tidos como charlatanismo. A ironia é que a esquerda, pouco inclinada a elogiar a Igreja Romana, é hoje o capanga que mais eficazmente expulsa quem queira quebrar a homogeneidade espiritual do nosso santo povo. O Brasil, que é grande para chuchu, muda com facilidade (até de religião) porque o futuro exige, ao passo que nós ainda adoramos o passado.

Mas o que o português não sabe é que o futuro não é, definitivamente, português. Amo o Padre Antônio Vieira, mas houve um erro no que ele profetizou: o futuro não é Portugal para o mundo, mas o mundo para Portugal. E o mundo futuro que nos dá vida nova é, nesta época, essencialmente o Brasil. Não é preciso alinhar no último acordo ortográfico para entender que a nossa língua é e será maioritariamente a língua dos brasileiros (só lá dentro são mais de 210 milhões de falantes, caramba!). Os evangélicos portugueses não sabem que estão mais à frente do que todos os outros portugueses pelo fato de as nossas comunidades se abrasileirarem há décadas (isso não significa que qualquer abrasileirização é boa mas que é, de fato, inevitável). Os portugueses, notáveis na arte da pedinchice, vão abrindo muito resignadamente os olhos porque descobrem muito surpreendidos os novos brasileiros ricos que escolhem viver cá. Diante do imigrante, o português acredita muito em Portugal até que ele tenha mais *money* do que nós.

O que eu sei é que maltratar brasileiros só rende enquanto a nossa adoração do passado tiver mais crentes. Eu, que apenas creio na pátria eterna, invisto em qualquer outra que conjugue a nossa língua no futuro.

26/12/21

Rio de Janeiro, no miolinho da alegria

Meia década depois, regresso ao Brasil. Se da primeira vez que aqui estive, saiu um livro, agora, pelo menos, sai já um texto. Em 2017 só consegui ver o Rio de Janeiro ao longe, do aeroporto, numa escala breve entre São Paulo e Fortaleza. Escrevo-vos neste momento de Niterói, na casa da Alê, do Alberto e do Calebe, com uma vista indescritível para a Cidade Maravilhosa. É o quinto dia nesta cidade e, uma vez mais, sinto-me incapaz de fazer justiça ao que vejo, mas mais incapaz ainda de não me dedicar ao assunto.

Uma das piores coisas que nos pode acontecer na vida é sermos turistas. O turista é alguém que viaja sem ver. Ele bem pode olhar lugares novos, fotografá-los, emoldurá-los como troféus das suas expedições, mas, no fim, não saiu realmente de onde estava. O turista tem no seu trânsito incessante a sua tragédia: está condenado a correr mundo sem que o mundo corra por si. O turista é o Caim bíblico: está "lançado da face da terra", carregando uma marca dada por Deus para que nada o fira. Tem voos para qualquer pouso, mas nenhum pouso se lhe mistura no sangue. O seu pronto passaporte funciona como a mais triste invulnerabilidade.

É por essa triste invulnerabilidade que os turistas se vão turistificando irremediavelmente: se viajamos o ano passado, temos de viajar este ano, se já fomos a Paris, temos de ir a Roma, e por aí afora. Os lugares mudam, mas o retrato é sempre o mesmo. Podemos esbanjar a nossa felicidade turística nas redes sociais, mas é a marca de Caim o filtro usado. A vantagem que Caim tem sobre nós é que sabia ser amaldiçoado e nós, iletrados nas Escrituras, envergamos as nossas expedições lúdicas como bênçãos. Gosto de viajar, mas é quando viajo que mais colocado em causa me sinto. Há momentos, nesta vinda ao Brasil que estou a fazer, em que pergunto a Deus: Senhor, subi aos píncaros ou desci ao vale da sombra da morte?

Ontem subimos ao Corcovado. Caramba. Não consigo fugir do clichê óbvio de imaginar a reação dos portugueses a chegar aqui pela primeira vez. Passou meio milênio e esta terra continua a deixar-nos sem palavras. Por outro lado, o português que aqui se fala é o Portugal que ainda está por aqui chegar — não somos compreendidos. Tomamos este lugar como parte da nossa história, mas a nossa história aqui parece estar toda por fazer. Quem é um português no Brasil do século 21? O mais fácil é ser um turista e o mais fatal é esse turista ser. Odeio a ideia de ser um turista numa terra destas. Quero mais do que a marca de Caim num passaporte recheado.

Ainda ontem, na noite de sexta-feira, conversávamos com o Alexandre e a sua noiva, Laura, e com o Felipe e a sua mulher, Priscila, num jantar de janelas e varandas abertas. A Priscila descreveu, a determinada altura, o Rio de Janeiro como "o miolinho da alegria", uma espécie de epicentro da subida da febre no país. Não era um elogio, mas também não era uma praga rogada. Era, acho, o reconhecimento de que tendemos a colocar espelhos nos lugares que habitamos. E se olharmos o nosso reflexo, quem somos não pode ser dissociado do lugar onde nos olhamos. Por alguma razão, o Rio dá corpo à alegria que nos brasileiros é farra e fado.

Quando ando por estes lugares, viajando tão longe da minha casa, vou da euforia à melancolia em menos de nada. E sinto-me no miolinho mesmo, no caroço de quem sou, agora que a fruta doce já foi comida pelo apetite voraz do viajante. A alegria de estar no Rio de Janeiro é também poder sangrar aqui. Obrigar a terra a ser o paraíso é o destino destravado do turista — é preciso parar para perceber.

29/05/22

O Brasil tem razão em não dizer mais pequeno

História verdadeira: a Ana Rute sai para fazer umas compras em São Paulo e, explicando que não é dali, pede a uma senhora na rua pelo mercado mais próximo. A senhora paulistana indica o caminho e pergunta-lhe de onde ela vem. Ao ouvir a Rute responder que veio de Lisboa, comenta: "Até que fala bem português!".

É. Este também é o Brasil de 2022. Por um lado, afastado de Portugal, por outro, sem vergonha de o ocupar quando, emigrando, busca uma vida diferente entre nós. De pouco serve escandalizarmo-nos pelo fato da nossa língua, como ela é falada na Europa, soar estranha. Essa estranheza não impede que os brasileiros se aventurem numa vida nova entre nós. E estou convicto de que a vida nova que os brasileiros descobrem em Portugal é das melhores coisas que nos aconteceu.

É a segunda vez que estou em São Paulo e mais admirado fico agora. Que cidade. Imensa, implacável, irrefreável. São Paulo é uma cidade com um tipo de modernidade a léguas da experiência portuguesa. Não somos nem melhores nem piores por isso. Mas somos, como no Brasil não se diz, muito mais pequenos.

No Brasil dizer "mais pequeno" é tão errado como dizer "mais grande". E é provavelmente o único caso que, em tanta discussão entre o português de Portugal e o português do Brasil, acho que o segundo tem razão. De fato, parece haver uma regra mais simples e objetiva em não usar as duas formas. Mas também é certo que encontro uma verdade poética em não ser errado em Portugal dizer "mais pequeno".

Portugal tem muito espaço para fluxos inversos. Ao invés de sairmos para lugares mais amplos, temos vocação para nos enfiarmos em buracos mais fundos. Encafuarmo-nos em nós mesmos é uma ciência naturalíssima. Nunca nos passaria pela cabeça que a realidade fosse mais grande, mas mais pequena, claro que sim! Vivemos em processos constantes de autominiaturização.

Precisamos de gente que procure vida nova entre nós porque é essa gente que nos vai fazer pensar acerca da nossa familiaridade com o mais pequeno. Sem estrangeiros permanecemos místicos do nosso isolamento, que tomamos santo quando é apenas saloio. É até quando no Brasil me sinto maltratado no idioma, que um Portugal diferente pode existir em mim. E menor, a maneira de emendar o mais pequeno, deixa de ter de ser o nosso futuro.

05/06/22

O cuspe da Maitê Proença

A maior parte das pessoas que me lê é do Brasil. Gosto de pensar que, nesse sentido, sou um português que está mais à frente porque, a menos que haja uma mudança substancial da chegada ininterrupta de brasileiros, qualquer português que seja lido em Portugal no futuro será necessariamente lido por uma quantidade crescente deles. No meu tempo de vida nunca notei uma mudança tão grande a acontecer conosco e por isso continuo a achar extraordinário (e extraordinário também no sentido de chocante) que se fale tão pouco na imprensa (pelo menos do que vou lendo) acerca da nossa abrasileirização em curso. No fundo, talvez não me surpreenda tanto: nós, portugueses, temos uma hesitação fora de série ao lidar com a mudança.

Desde que escrevo no *Observador*, este talvez já seja o quarto artigo dedicado mais diretamente a esse assunto. Se me tirarem o Brasil, não tenho assim tanto para dizer, de fato. Porque cada vez mais me convenço que o futuro português é brasileiro. Reconheço que essa abrasileirização me tem beneficiado pessoalmente: enquanto pastor evangélico, posso muito mais facilmente ser entre brasileiros uma pessoa não só normal (condição que continua a ser-me impedida em Portugal) como até desejada. Quando um evangélico português vai a um país com muitos evangélicos, como o Brasil ou os Estados Unidos, sente nesses países estrangeiros um acolhimento que nunca recebeu no seu próprio. Uma das coisas interessantes acerca de ser evangélico em Portugal é que essa condição religiosa impede-nos de sermos patriotas, mesmo que sejamos politicamente conservadores (como eu sou). O patriotismo é um luxo de quem cresce em casa entre a maioria.

Um evangélico em Portugal não acredita em esquerdas, onde as causas supostamente divisionistas não conseguem disfarçar o fato de que as pessoas ainda se sentem em casa na maioria, e não acredita em direitas, onde as causas supostamente antidivisionistas celebram as pessoas que se sentem em casa na maioria. Um evangélico português pode ter um faro apurado para saber que, à esquerda, a defesa das minorias vem de um lugar de privilégio e não de real empatia com elas, e saber que à direita a indiferença com as minorias não vem necessariamente de uma preferência mas de um privilégio mesmo. Dito isso, desejo não ver o mundo a partir do fato de pertencer a uma minoria, ainda que não perca a oportunidade para dizer aos defensores oportunistas dessas minorias que do assunto eles não percebem nada, e aos outros que alguma coisa eles deveriam perceber. Querem saber o que é pertencer a uma minoria que, quando defendida, não dá charme a ninguém? Sejam evangélicos em Portugal.

É óbvio que chateia uma minoria recém-chegada a apontar defeitos à maioria que já cá está há mais tempo. Tão ou mais irritante que o tom dos meus parágrafos anteriores, é, por exemplo, quando um brasileiro aqui publicita os defeitos portugueses. Até eu, um chato sempre com uma palavra negativa a dizer acerca de Portugal, não posso quando um brasileiro elenca as queixas que tem acerca de Portugal. Inevitavelmente reajo negativamente, com vontade de calar a boca do estrangeiro descarado que ainda agora chegou e já está a encontrar problemas. Como o povo diz, quem está mal que se mude, certo? Não há nada como uma ousadia imigrante para criar patriotismo em quem nunca o teve. E até ficamos certos de que, se fôssemos para o Brasil, certamente evitaríamos oferecer opiniões precoces. A nossa proverbial serenidade impede-nos desse tipo de inconveniências, achamos.

Uma das primeiras mulheres por quem me apaixonei televisivamente foi a Maitê Proença. Em 1983 ela era a Juliana da *Guerra dos sexos*, em 1987 ela era a Camila do *Sassaricando*, e em 1989 ela era a Clotilde do *Salvador da pátria*, só para dar três exemplos. Mas em 2007 ela era a senhora que num vídeo para o programa *Saia justa* fazia pouco dos portugueses, e eu, como muitos outros crescidos aqui caidinhos por ela, quase precisamos de terapia, sobretudo na cena em que, imitando uma estátua portuguesa, deixava escorrer o seu cuspe para a câmara. Como era possível a nossa musa brasileira revelar-se uma hidra destruidora dos nossos encantos nacionais? Talvez o Brasil da nossa infância, uma espécie de América mais nossa e menos Hollywoodesca, não fosse afinal uma espécie de Portugal mais bem resolvido e exuberante do outro lado do mar... Talvez os brasileiros não correspondessem aos anjos televisivos que habitaram os nossos sonhos infantis.

O primeiro problema da história da igreja não foi assim tão diferente. Em Jerusalém, e como em qualquer igreja evangélica em Portugal, havia os de lá e os que de fora chegavam para lá ter casa. Nesse caso, as viúvas gregas começaram a queixar-se que não eram tão bem cuidadas como as viúvas judias. De um momento para o outro, acabou-se aquela imagem da igreja de que toda a gente gosta, que estupidamente continuamos a alimentar como se o livro dos Atos dos Apóstolos se resumisse aos primeiros quatro capítulos. A primeira grande crise entre os cristãos foi também um choque de culturas. É por causa disso que o cristão, pertencendo a uma comunidade multicultural, não crê em histórias da carochinha em que os povos naturalmente se dão bem uns com os outros. Estamos vacinados contra utopias desde o princípio da nossa história. Onde está Cristo, está uma cultura feita de culturas lutando para que Cristo seja a principal — nunca foi fácil, mas é o nosso fim.

Quando há dois anos preguei sobre o capítulo 6 dos Atos dos Apóstolos disse que os brasileiros em Portugal iam ter de ter calma e os portugueses iam ter de perder alguma. Como assim? O brasileiro que sofre por estar em Portugal deve saber que parte do seu sofrimento é sinal de que ele saiu mesmo do Brasil — não é possível sair sem sofrer. Se Cristo que é Deus sofre ao sair do céu, nós queremos escapar ilesos quando fazemos algo parecido? Por seu lado, o português não pode fingir que não estamos no meio de uma das maiores mudanças sociais que nos aconteceu com aqueles nossos discursos redondinhos. É precisamente para não sermos tentados por nacionalismos que dão a Portugal uma superioridade que ele nunca teve que precisamos saber acolher a sério, reconhecendo que aqueles que Deus junta nenhum demônio, por muito patriota que pareça, deve separar. Os brasileiros que cá estão são o Portugal do nosso tempo: cabe-nos orientar a sua chegada.

Vão ao YouTube e pesquisem por um lugar qualquer de Portugal. É muito improvável que a busca não vos devolva um vídeo de um brasileiro celebrando a casa que aí encontrou. Não tenho visto vídeos de portugueses a esbanjar a alegria que sentem por viver em Oeiras, em Vila Nova de

Santo André, ou na Pampilhosa da Serra — mas há vídeos de todos esses lugares descaradamente celebrados por brasileiros, oferecendo-nos elogios que dificilmente verbalizaríamos. Por vezes tenho de me esforçar para não chorar a vê-los. O meu país está a mudar, sendo criticado por pessoas que cá não nasceram. Mas são também essas pessoas que estão a agradecer a Deus por ele como nós, portugueses, nunca o fizemos.

07/08/22

Entre Paulo Portas e a IURD voto IURD

É difícil ser um bom cristão quando a prova é ver o político português Paulo Portas avisar os telespectadores dos perigos de uma relação demasiado íntima entre os políticos brasileiros e a religião. E, no coração, reprovei no teste: ri-me do seu aviso, provavelmente com uma ponta de cinismo de que não me orgulho. Passo então a explicar melhor esta minha dificuldade em levar a sério aquele final do jornal das oito da TVI, no domingo 9 de outubro de 2022: a partir de um gráfico que projetava no Brasil o número de evangélicos a tornar-se superior ao de católicos (*old news*), e de uma imagem em que alegadamente Edir Macedo, líder da Igreja Universal do Reino de Deus, batizava Jair Bolsonaro (*fake News* — Paulo Portas desconhece que essa imagem vinha de uma unção com óleo[!] em 2019, prática mais típica da cena mais neopentecostal), o comentador alertava acerca da "diversidade de credibilidade nas igrejas ou seitas", acautelando, claro, algumas distinções.

Ouçamos então o rigor de Portas nesses assuntos da tão estranha diversidade religiosa brasileira, tendo em conta a nossa óbvia vocação portuguesa para cenários de crença simples e limpa. Há "confissões respeitabilíssimas como protestantes clássicos (metodistas, luteranos)", há "neopentecostais, onde a coisa se começa a complicar — o exercício de algum fanatismo é bastante evidente; e depois aquilo que é terrível que são seitas [olhos arregalados]. Nessas seitas, evidentemente a mais forte chama-se IURD". Ah, bem: haja um português sensato que freie os excessos da credulidade tropical. Ok, acho que resvalei novamente para o cinismo... Deixem-me tentar concentrar-me de novo.

Somos em Portugal um país com liberdade religiosa? Diria que sim e diria que não. A cabeça diz sim e o coração diz não. É, como os miúdos dizem agora, complicado. A consagração da liberdade religiosa na nossa lei é testada quando as religiões são tão natural e publicamente distinguidas pelos políticos a partir do seu grau de respeitabilidade. Isto, sim, parece-me uma relação entre religião e política tão ou mais perigosa do que a de promiscuidade que tão facilmente apontamos aos outros países. Sim, Bolsonaro em namoros com pastores e padres não é um cenário inspirador. Mas o que dizer do cenário português em que políticos diferenciam os bons bispos dos maus bispos? Foi isso que na prática aconteceu quando Paulo Portas explicou a imagem do presidente da República brasileiro com Edir Macedo nestes modos: "Esta é uma fotografia de um entre aspas batizado e um entre aspas bispo, que é o chefe da IURD". O ponto do meu argumento é este: que tipo de liberdade religiosa existe quando um político se sente tão à vontade para separar a gente que é séria da gente que é seita? Na minha opinião, é uma liberdade religiosa que não é realmente crida — a cabeça diz sim e o coração diz não. Nesse sentido, falo de políticos que, lá no fundinho do coração deles, não acreditam realmente em liberdade religiosa.

Em Portugal a lista de políticos que, lá no fundinho do coração, não acreditam em liberdade religiosa é antiga e escandalosamente presente nas figuras mais altas. Não é só

Paulo Portas. Marcelo Rebelo de Sousa, no fundinho do coração dele, também não acredita em liberdade religiosa. Confirmam isso os seus discursos recentes que misturam evangélicos e extrema direita (seja na Europa seja no Brasil). E, nesse sentido, o nosso atual presidente da República apenas segue uma tradição já praticada por outros antes dele. Mário Soares, no fundinho do coração dele, também não acreditava em liberdade religiosa.

Apenas para um exemplo substancial, menciono uma notícia do *Expresso* em 2009, em que Soares falava "da existência em Portugal de 'religiões' que não são religiões, mas sim seitas", referindo-se às "testemunhas de Jeová, que me afligem muito, porque são coisas do tipo comercial, mais do que religioso". Na altura em que era presidente da Comissão da Liberdade Religiosa (uau!), sentia-se à vontade para acrescentar: "As pobres das pessoas não percebem, mas esta é que é a verdade, as pessoas perdem muito dinheiro com essas seitas". A saudosa harmonia religiosa portuguesa via-se, portanto, ameaçada à custa da "invasão de 'religiões' [...] sobretudo através da imigração brasileira", desferindo uma evidência última: "Os protestantes evangélicos são muito fanatizados". Com uma tradição destas, tão ampla e convivialmente praticada por um dos pais da nossa democracia, por que haveria Marcelo Rebelo de Sousa de ser diferente?

No fundinho do coração, a própria Lei de Liberdade Religiosa que temos não acredita em liberdade religiosa. O Bruno Vieira Amaral apontou isto no livro que escreveu chamado *Aleluia*, quando explicou que o ponto número 2 do artigo 37º é, na prática, uma cláusula anti-Igreja Universal do Reino de Deus, que "só reconhece como radicadas no país as igrejas e as comunidades religiosas existentes há pelo menos trinta anos ou, no caso de fundadas no estrangeiro, há sessenta". O que isso quer dizer é que fizemos uma lei para a religião ser livre desde que as religiões com fraco grau de respeitabilidade que vêm lá de fora não sejam aqui tão livres assim. A facilidade com que se pode bater na Igreja Universal do Reino de Deus, resumida popular e sarcasticamente na sigla IURD, é, por si, reveladora. Liberdade religiosa? A cabeça diz sim, mas o coração diz não.

Em Portugal qualquer devasso vira devoto quando, falando de religião, quer distinguir os sérios dos da seita. Já há uns anos escrevi isso num texto chamado "Não sendo, é como se fosse da seita" (que podem ler no meu blogue *Voz do Deserto*). O mais triste é que, nessas matérias, o povo parece alinhar com os seus políticos: para que praticar a nova modalidade da liberdade de religião se os nossos músculos estão tão habituados ao velho campeonato do respeito?

16/10/22

Quem são os evangélicos no Portugal de hoje?

Qualquer religião em que esteja neutralizada a possibilidade de grandes erros, não me interessa. É Satanás aquele que negocia com sucessos garantidos. O Deus de Abraão, Isaque e Jacó, que é Pai, Filho e Espírito Santo, nunca escondeu que o melhor que tem para nós não acontece sem sérios prejuízos. Daí que parte da paz que me assiste como evangélico não foge ao ver-me associado, com maior ou menor desconforto, a alegadas calamidades como o apoio a Trump ou Bolsonaro. É isso que ser evangélico hoje em dia pode significar na cabeça das pessoas? Que seja. Posso até lamentar, mas não é a partir da cabeça dos outros que me guio, de qualquer maneira.

Quando se quer fazer um caminho mais estreito e mais interessante lê-se História, por exemplo, para que o que parece elementar dizer hoje seja desafiado pelo que se diz de ontem. O mesmo se deve aplicar, neste caso, aos evangélicos. Já que a tradição a que pertencem tem uma história de mais de meio milênio, compreendê-los aqui e agora implica conhecer o antes. Por causa de tudo isso, é mais do que recomendável que os leitores ponham as mãos no livro *Aliança Evangélica Portuguesa: 100 anos de história e comunhão*, escrito pelo Timóteo Cavaco (*disclaimer*: somos primos, muito amigos, e ele é o meu padrinho de casamento). Deste volume trouxe, pelo menos, meia dúzia de observações acerca de quem são os evangélicos no Portugal de hoje, que passo a desfilar.

Em primeiro lugar, os evangélicos portugueses são lambedores de feridas. Como se sentem notas de rodapé na cultura em que nascem, os evangélicos portugueses são, por um lado, portugueses menos portugueses e, por outro, portugueses a apostar dobrado na tradição de não acreditarem em si mesmos. Com passados tão escassos, emagrecem inconscientemente os próprios presentes. Quando se convive com um evangélico em Portugal nota-se que ele tende a ser o primeiro a duvidar da própria vocação. O evangélico português ainda não está tão seguro assim que exista mesmo. Existe à parte, ferido e de língua preparada.

Em segundo lugar, os evangélicos portugueses podem ser redundantes porque desnecessariamente isolados uns dos outros. O Timóteo ajuda a explicar: "Se, por um lado, as igrejas protestantes em Portugal [...] demonstravam grande entusiasmo e capacidade de realização, por outro lado, evidenciavam uma certa redundância ao criarem organizações ou movimentos que frequentemente repetiam objetivos e iniciativas". Cada igreja evangélica facilmente sente a vontade de inventar a pólvora quando o valor da resistência é uma condição *sine qua non*. Uma perspectiva panorâmica é um luxo impraticável para quem, como lambedor de feridas, raramente sai do buraco da sua dor.

Em terceiro lugar, os evangélicos portugueses são necessitados da liberdade religiosa que contraditoriamente nem sempre querem reconhecer aos outros. "Os membros da Aliança Evangélica Portuguesa votaram ainda uma moção em que manifestavam a sua preocupação com o avanço de outras expressões religiosas no país, tendo havido uma clara indicação para que os obreiros evangélicos não prestassem a sua colaboração ao 'sabatismo, russelismo e seitas semelhantes'." Escrevi anteriormente acerca das dificuldades de uma liberdade religiosa a sério em Portugal, e preciso agora admitir que até quem mais dela precisa, nem sempre a pratica.

Em quarto lugar, os evangélicos portugueses são suscetíveis a celebridades. "No final da década de 1930 foi muito comentada na sociedade portuguesa a adesão ao protestantismo de Artur Alves Reis, que em 1925 tinha sido o protagonista daquela que ainda hoje é considerada uma das maiores burlas financeiras operadas em território nacional." Ui. Já tivemos cantoras de sucesso como a Nucha (que já não é evangélica) e a Manuela Bravo (que julgo também já não ser evangélica), já tivemos uma irmã do Cristiano Ronaldo (que julgo igualmente já não ser evangélica)... Valha-nos a Adelaide Sousa Richardson! A síndrome da atração pela celebridade é talvez ainda mais forte em quem célebre nunca foi.

Em quinto lugar, os evangélicos portugueses ladram mais do que mordem. "As igrejas evangélicas, constituídas esmagadoramente por cidadãos portugueses, não quiseram deixar de se associar às celebrações patrióticas promovidas pelo Estado Novo" e "semelhantes encômios eram dirigidos ao presidente do Conselho de quem se dizia 'grande ser o seu espírito de tolerância, o que lhe tem granjeado o reconhecimento e a admiração de todos os cristãos evangélicos'." Bater no Salazar é fácil em democracia, mas também nós, deplorados na ditadura, fomos mais mansos do que gostamos de nos recordar. Com tão pouco poder, os evangélicos ainda se impressionam demasiado com ele.

Em sexto e último lugar, os evangélicos portugueses têm uma experiência em grande parte guiada por estrangeiros.

Leiam uma vez mais o Timóteo Cavaco: “Promovido por Paulo Irwin Torres, que mais tarde viria a ser presidente da AEP, realizou-se em Lisboa [em 1944] o Quinto Congresso Evangelístico Português, que incluiu uma homenagem ao espírito e trabalho evangelístico da Inglaterra e da América do Norte na evangelização do mundo, no dia 5 de outubro, através de uma visita ao Cemitério britânico, na Estrela, com deposição de flores nas campas de Robert Moreton”. Os evangélicos portugueses ainda têm a sua paternidade simbólica em não portugueses. Estamos neste Portugal de hoje ainda sonhando com países que não são nossos em que ser evangélico nos oferece a dignidade que aqui nos parece roubada.

Não sei se sonho com outro país ou com outros evangélicos. Mas não nego que sou tudo isso. Aceitar talvez seja um bom começo.

13/11/22

O menino da mamãe português e o bruto americano

Hoje não orientamos os nossos filhos sem cinema: os filmes que vemos com eles, os filmes que não queremos que eles vejam, os filmes que queremos que eles vejam, os filmes que vemos e eles ainda não, os filmes que eles veem e preferimos que não vissem, e por aí afora. Agora que o nosso mais novo tem 12 e a mais velha 18, cada vez fica mais difícil a terceira modalidade, de os ganhar para o cinema que nos parece certo (estão na fase em que se sentem desprestigiados por seguirem os conselhos dos pais). Ainda assim, não tenho desistido de aliciar os rapazes para realizadores como o Walter Hill. E passo a mencionar apenas dois dos filmes dele, também reconhecendo que ao longo das décadas não manteve a qualidade mais regular.

Do *Warriors* (um *must* dos rapazes da casa Cavaco) ao *Southern Comfort* (que visto depois de termos aterrado em Nova Orleans e percorrido uma *highway* ao lado dos *bayous* ganha outro impacto), os filmes do Walter Hill mostram homens apanhados num país que os quer devorar, curiosamente, através de outros homens. Nesse sentido, Hill continuou a filmar *westerns* depois dos *westerns* terem praticamente acabado. Até quando a história é acerca de um conflito global de gangues na superpopulosa Nova Iorque do final dos anos 1970, no caso do *Warriors*, é de um faroeste que se trata.

O chamado *western* é o cinema que existe quando pertencer a um país não é garantia de coisa nenhuma, pelo contrário. E foi também assim que os Estados Unidos lançaram na imaginação dos rapazes do século 20 a melhor literatura visual a que podiam ter acesso. Até no improvável Portugal, tão mas tão diferente das planícies americanas, quem não sonhou na infância ser *cowboy*? Claro que o cenário não dava para reproduzir aqui, mas mesmo assim não desistíamos de brincar a sermos pistoleiros, cidadãos de uma terra a que tínhamos de sobreviver ou então estávamos feitos. Fosse porque vinha um índio, fosse porque vinha um deserto, fosse porque o faroeste na sua periculosidade múltipla acabaria conosco em menos de nada.

Apesar de termos amado a América em crianças, odiamo-la estupidamente em adultos. Vindos dessa mudança sentimental tão abrupta, nós, portugueses no particular e europeus no geral, somos pequenos mal envelhecidos. Acerca dos americanos acabamos por dizer em voz alta o que teríamos medo de pensar acerca de outros de boca calada. Imaginem que as generalizações que fazemos acerca da maioria americana (convenientemente branca, protestante e com mais dinheiro do que nós) eram feitas acerca de pessoas de outros países (nem os russos, mais facilmente vilanizáveis nos dias que correm, atingem o afinco escarnecedor que dedicamos aos americanos). É minha convicção que o ódio ao americano é proporcional ao desejo, hoje recalcado, que no passado tivemos de poder ser um. Isso não é só geopolítica, provavelmente é Freud também.

Confesso que, a seguir a Portugal, os Estados Unidos são o país que mais amo (e, portanto, mais odeio também), logo seguido do Brasil. São os Estados Unidos o país estrangeiro em que passei mais tempo (o que, mesmo assim, não foi nada de especial). Uma das coisas que já compreendi acerca desse país é que, ao contrário daquele onde nasci, não é feito de meninos da mamãe. Nós, portugueses, não somos nem melhores nem piores do que os norte-americanos, mas somos, quando comparados com eles, meninos da mamãe. Eu, como amo a minha mãe, não tenho nessa característica um defeito, mas, neste caso, uma diferença substancial dos americanos. Os portugueses são meninos da mamãe porque, com fronteiras estáveis há quase nove séculos, têm na sua casa o caminho que deviam fazer fora dela. Sempre que saímos, até que nos safamos. Mas entre o saia de sair e a saia da mamãe, adivinhem qual nos cativa mais.

Acresce a isso a nossa pouco diversa história religiosa. Espiritualmente, entendemos que quanto mais um homem tem fé, menos homem ele é. Como assim? Em Portugal, e noutros países desequilibradamente católicos, ser de Deus é, indo para padre, não ter mulher e não ter filhos. Até na religião, os homens usam saia. Não é casual que um dos padres mais excepcionais da nossa história, o Vieira, vivesse entre estar cá dentro e ser posto fora. O amor da mamãe é uma religião mediterranicamente natural e um bom homem é difícil de encontrar (e, encontrando-o, saber o que fazer com ele). Até nos momentos em que os portugueses alegadamente se livram do catolicismo, teimam numa reserva de misticismo maternal que substitui o velho clero por ateus com fervores utópicos — todos os nossos revolucionários têm tios padres. O padrão do proverbial macho latino sempre andou entre a passividade, em que a educação dos filhos pertence às mulheres, e a porrada, quando o pavio lhe chega ao fim e essa ação lhe é exclusiva. Agora que todos os indícios de porrada se criminalizam, resta-nos a imensa passividade do homem português.

É óbvio que esse menino da mamãe, que o homem português é, se ressente da besta masculina americana. O americano, afinal, nunca esperou que o seu país lhe fosse mamãe. O americano teve, em grande parte, de conquistar constantemente o seu próprio país. É por isso que qualquer Walmart tem prateleira para revistas de armas e sobrevivência: de certo modo, só está naquele país quem prova ser capaz de lhe sobreviver (e por isso tantos estrangeiros que à América chegam mais rapidamente se tornam patriotas do que os próprios americanos — emigrar para a América nunca é apenas emigrar; é poder prosperar só depois de ser provado). Qualquer supermercado é para o americano conforto mas confronto também. O menino da mamãe português, escandalizadíssimo pelas diversidades de consumo do outro lado do mar, acusa triplamente o bruto americano.

1) Como é que o americano consegue ter Deus ao mesmo tempo que tem mulher? Como é possível ser metafísico sem pudor de ser masculino, e ter líderes religiosos que casam?

2) Como é que o americano consegue ter Deus ao mesmo tempo que tem armas? Como é possível não dar à polícia o monopólio da sua defesa, advogando, para isso, a segunda emenda da Constituição do país ao mesmo tempo que se invoca a divindade?

3) Como é que o americano consegue ter Deus ao mesmo tempo que tem bolas? Como é possível ser a favor de fazer bebês, sendo *pro-life*, pró-pena de morte e contra o aborto?

"*Guns, babies, Jesus*", diziam os cartazes, e os meninos da mamãe portugueses entram em síncope. As categorias do bruto americano deixam-nos desmaiados.

Ok, ok. Talvez nem todos os americanos sejam essas bestas que ofendem meninos da mamãe portugueses, e talvez nem todos os portugueses sejam meninos da mamãe. Existirão exceções e países que hoje não são o que maioritariamente podem ter sido ontem. Infelizmente o que é cada vez menos exceção é a nossa capacidade de ver além das generalizações, que este mesmo texto praticou, para tentar descobrir em quem decide algo tão diferente de nós, alguma vida que seja tão vida como a nossa é. Perdemos todos. Os nascidos e os por nascer.

03/07/22

A seção de embutidos do Seabra's

O mais perto que estive de emigrar foram cinco meses passados nos Estados Unidos em licença sabática. Provei em aperitivo a experiência de tantos à minha volta, sobretudo o pessoal chegado do Brasil que a cada domingo enche a nossa igreja, na Lapa. E reconheci a velha sabedoria daquela ideia de ser preciso sair para compreender melhor o que temos cá dentro, no lugar a que nos calhou pertencer.

Uma das minhas resoluções durante essa temporada era evitar contar os dias para o regresso a Portugal. E em todos eles lembrava-me de que não podia contá-los, o que não deixava de ser uma maneira de acabar por fazer o que queria impedir. Sentia-me corroído por saudade, adoentado num período que supostamente seria de sonho. Poder apenas descansar num país que amo tanto como os Estados Unidos seria uma espécie de céu na terra em circunstâncias normais, mas, tendo em conta o arrasado que estava, aquelas não eram circunstâncias normais.

Aterrissei em Nova Iorque com a Ana Rute para mostrarmos à Maria, à Marta, ao Joaquim e ao Caleb, os nossos miúdos, aquela cidade incrível. E passamos cinco dias a encher-nos do melhor da *city*. Em seguida, viajamos para Jackson, no Mississippi, onde nos esperava família (o Tiago, irmão da Ana Rute, e a nossa cunhada Marta, e os sobrinhos Rúben, David e Tiago). O sul dos Estados Unidos é o lugar perfeito para alguém se dar conta da sua insignificância. Não podia estar mais bem situado num sabático que devia desapetrechar-me das saloias glórias portuguesas que o meu cansaço acumulava.

Como o nosso objetivo era parar, não viajamos muito. Mas ainda deu para passar por Memphis, no Tennessee, por Nova Orleans, na Louisiana, e por Miami, na Flórida (esta última viagem fiz só com o meu cunhado Tiago e o nosso amigo Diego, que, sendo um brasileiro que vive em Portugal, nos visitava no Mississippi). Uma visita tornou-se obrigatória em Pompano Beach, naquela margem oposta do Atlântico: o supermercado português Seabra's. Lá fomos, não esqueçam, comigo em luta interna de resistência à saudade de Portugal. Estava agora num lugar que misturava explosivamente a eficácia comercial americana com produtos portugueses. O meu coração era débil diante desse certeiro capitalismo emocional.

Enquanto o meu cunhado se dirigiu ao bacalhau e o Diego ao guaraná (porque nos Estados Unidos, o Brasil dá um novo vigor às nossas velhas lojas), eu vagueei até ao fundo do supermercado onde, sem antecipar, ouço na zona de embutidos as senhoras que serviam no balcão falar português. Não sei bem o que aconteceu, mas em menos de nada corriam-me lágrimas pelo rosto. Reparem: durante aqueles meses eu mantinha-me, como é óbvio, a falar português com a minha família, e, naquela mesma longa viagem de carro entre o Mississippi e a Flórida, conversávamos os três sempre na nossa língua. Mas o certo é que ouvi-la agora assim, entregue a gente desconhecida, fazia-me pertencer a um lugar que não tinha como meu. Quando alguém fala o que falamos numa terra que não é nossa, encontramos uma casa para habitar.

E lembramo-nos daquela frase do Fernando Pessoa, já feita clichê: "A minha pátria é a língua portuguesa". Como pregador protestante, sou um profissional na ênfase de que tudo no universo é texto — porque tudo o que existe resulta do uso do verbo divino. Deus disse "faça-se" e tudo o que há foi feito. Mas nunca tinha compreendido como esse fato teológico se podia concretizar com tanta força na relação que temos com o lugar a que pertencemos. O nosso lugar é, de fato, a nossa língua. E a partir daí entendi que essa língua, na sua essência, não é algo que nós temos mas algo que nós somos. Claro que agradeci a Deus por ter voltado a Portugal depois desses cinco meses americanos — mas também entendi que o meu lugar poderia ser qualquer um, desde que nele a minha voz fosse atendida.

05/12/21

Parte IV

Odeio artistas, mas só os saudáveis

Para cada artista que cai, um anjinho ganha asas

Um dos prodígios do português de Portugal é artista servir para sublime e safado. Chamamos alguém de artista quando nos deu o Céu. Mas também podemos chamar alguém de artista quando, esperando dele o Céu, o que recebemos foi o pior da Terra. A ambiguidade da palavra "artista" pode tornar-nos precavidos, conscientes de que alguém no palco é uma criatura com uma finíssima película dentro de si a separar o belo do bandido. Talvez seja também este fenômeno que aproxima hoje as celebridades artísticas dos antigos santos: onde os últimos podiam passar da virtude para o vício, apostatando e abandonando a fé, os últimos podem agora passar de estrelas a escroques — continuamos fascinados pela velocidade de uma queda.

Não sei se é do meu calvinismo, mas admito que poucas coisas me fascinam tanto como um artista caído em desgraça. Todos os detalhes de um astro em processo acelerado de perda de brilho me fascinam: o embate do ensimesmamento com a realidade; a insatisfação crônica do narcisista federado; o percurso irreversível do apogeu para o apequenamento, etc. Mas no meio de todas essas pequenas engrenagens da decadência, é no momento em que o artista contempla os seus velhos triunfos transfigurarem-se em trevas presentes que o meu coração exulta. É Lúcifer, o anjo de luz, tornado Satanás; é Dorian Gray, musa masculina, tornado assassino; é DiCaprio, o espalhafatoso Rick Dalton do *Era uma vez... em Hollywood* do Tarantino, tornado ator gago de filmes de terceira... Gosto de arte, mas ainda gosto mais quando a arte é assumida artimanha.

Suspeito que Nietzsche entendia isso como poucos. Quando escreveu *Humano, demasiado humano*, ele apontou a mira à classe artística num capítulo chamado: "Da alma dos artistas e dos escritores". Nele, escrevia assim: "o artista sabe que a sua obra apenas obterá pleno efeito no caso de despertar a crença [...] numa miraculosa subitaneidade de produção, [...] como um meio para enganar, para predispor a alma do espectador ou do ouvinte de modo a que ele creia no brotar súbito do perfeito". Custava ao pensador alemão, pronto para celebrar que Deus finalmente tivesse morrido naquela época, que houvesse outra metafísica, eventualmente mais pelintra ainda, a tentar entrar pela porta dos fundos.

De que adianta termos rejeitado a autoridade religiosa dos padres e pastores se os artistas, trajados de arautos da estética, nos impingem uma outra fé que, não adorando Deus, adora o belo? Vamos continuar nas mãos de autoiluminados, murmurava Nietzsche e não sem razão. Os místicos apenas mudaram de roupa mas continuam seguros das suas visões. Eu, que por eventual castigo da providência divina, convivo com pastores e padres, artistas e artesãos, não lhes noto grande diferença em assertividade sacerdotal. Os artistas manifestam até com mais veemência a confiança absoluta que têm nos grandes imperativos morais que precisam ser transmitidos a todo o povão restante, naturalmente excluído das epifanias da classe. Já repararam que hoje, sempre que há uma causa a ser abraçada, são os artistas que nos guiam espiritualmente em espetáculos conduzidos pela limpidez do seu olhar virtuoso?

A vantagem do proverbial mau feitio protestante é a sua desconfiança diante do bem. Condenar o mal é básico; hesitar perante bens consensuais é que, de fato, não é para todos. O calvinista zangado mais facilmente compreende o desabafo do Jack, naquela cena arrepiante do *Clube da luta* do David Fincher, quando confessa que lhe apeteceu destruir algo belo. Certamente que é absurda a destruição da beleza; mas será menor a sua instituição às mãos de uma classe credenciada por ver o que tantos não conseguem? Quando alguns protestantes se livravam das obras de arte do catolicismo, não o faziam necessariamente por insensibilidade estética, mas por hipersensibilidade. A arte, quando vai longe demais, não deseja ser demoníaca mas divina. O mandamento hebraico impedia que se fizessem representações de Deus, não do Diabo. A maior tentação não está em devotar a nossa vida ao demoníaco, numa espiral de destruição total; a maior tentação está em tomar a representação que nos parece divinal como o próprio Deus — é nos píncaros do que criamos que podemos dar as maiores quedas.

Logo, sempre que um artista cai, um anjinho pode ganhar asas. E se é certo que a um cristão não fica bem celebrar a queda de ninguém, menos cristão será ainda a celebração de ascensões de quem não foi feito para ser adorado.

10/04/22

O dom e a doença

Mais do que pessoas dotadas, fascinam-me pessoas doentes. Tento explicar-me melhor: para mim as pessoas realmente dotadas são aquelas que, ao manifestar o seu dom, não o conseguem fazer sem que ele se mostre também como uma doença.

Se, de um lado, o dom nos faz ficar de bem com a vida, do outro, a doença recorda-nos o fim dela. Essa dicotomia está para mim sempre presente. Não consigo pensar em dons esquecendo as doenças, e não consigo pensar em doenças sem lembrá-las como possíveis dons. Como acredito na Bíblia, acredito num universo que, tendo começado perfeito (no capítulo 1 e 2 do livro de Gênesis), rapidamente se viu no meio de problemas (logo no capítulo 3). Por isso, não nego a perfeição, a que todos almejamos, crentes ou não, mas, de fato, são os problemas os nossos companheiros mais presentes e credíveis. "Problemas no paraíso", como diria o bom Slavoj Žižek, sem qualquer vestígio de religião.

Essa dicotomia pode aplicar-se praticamente a qualquer coisa. Por exemplo, à pessoa com quem casamos. Ela é para nós o que mais ninguém pode ser, mas, como é calculável, também será quem mais nos tira do sério — ela é o dom e ela é a doença. Amor que é amor é dom e é doença. Isso aplica-se também às nossas vocações. Não paramos enquanto não fazemos o que desejamos, mas também endoidecemos nesse processo — é o dom e é a doença. Vivemos para concretizar algo, mas vamos morrendo nisso também.

Valorizar o dom é fácil. Ninguém deseja a doença, certo? Mas talvez a resposta não seja tão linear. E dou um exemplo tosco, usando o caso da arte que me impressiona. Quando me sinto impressionado, não sou indiferente ao aspecto do dom, é claro — mas o que realmente me intriga é o aspecto da doença. Os artistas que me conquistam não são os que, por uma questão de dom, elaboram obras de perfeição. Conquista-me mais o que nem a obra atinge, conquista-me a tentativa falhada ou, mesmo que atingida, estragada por algo que, no meio do processo, a desfigurou noutra coisa qualquer. Não nego o dom, mas, sobretudo, encanta-me a doença.

Os dotados tendem a ser chatos. São *jockeys* perfeitos dos seus cavalos. Não há nada que os atropele, não há nada que os derrube, não há nada que os desmascare. Manifestam-se artisticamente restituindo ao fruto proibido a dentada que lhe foi desferida. Fazem-nos acreditar no Éden quando estamos todos do lado de fora. A habilidade dos dotados sempre me oprimiu. Nem sequer encontro para eles um sentido ou um significado. O dotado nada louva além de si mesmo. Talvez por isso, Chesterton dizia que "o bom músico adora ser músico, o músico mau adora a música".

Já a doença torna o dom tolerável. A pessoa que, amando o que faz, o faz doentiamente, essa sim, convence-me. As suas obras são uma afirmação dupla de vida e de morte, de viço e de vacilação. O dotado doente quando cria, cria em crise e é daí que vem o seu gênio. Ele não se sobrepõe a ninguém porque, ao exibir o seu dom, denuncia as próprias derrotas. Os triunfos dos dotados doentes são também diagnósticos: não queremos propriamente ser fãs deles, queremos participar do tratamento de que eles precisam. As obras deles não são consumos para nós, são consultas.

A nossa existência deste lado da ressurreição é demasiado breve para a gastarmos junto de dotados sem doenças. O dom, em si, devia levar-nos ao doador original e não fazer-nos parar naquele que apenas o recebeu. O dotado, quando ocultando as suas doenças, convence-nos de uma mentira: a sua habilidade pertence-lhe naturalmente. Mas a verdade é que nada nos pertence naturalmente e, nessa medida, quem tem na sua doença o seu dom, tem uma missão. É até um missionário. Foi a essa religião que me converti.

08/05/22

O triste déficit de trevas nas letras portuguesas

Os escritores portugueses são, em regra geral, um tédio por serem tão solares. Estamos tão talhados para o brilho do astro-rei que somos um país de textos cegos, encadeados, enxaquequeados em auras que nos levam ao vômito. Em Portugal, um escritor é um visionário seguro do seu papel de encaminhar os outros para a luz. E o nosso problema é precisamente o excesso dela. Falta-nos trevas.

Os nossos ateus têm fé, os nossos transgressores cumprem o código de trânsito, os nossos bandidos têm bom coração. Somos um festival de sensibilidade tornado nação, uma aula de cidadania com delírios de grandeza. Claro que quem gastar cinco minutos a realmente abrir os olhos além desse veraneio moral, vê que as coisas não são bem assim. Os nossos filhos pensam em suicídio antes de poderem votar, temos medo de sair às ruas por causa de uma gripe, e a única satisfação cívica ao nosso alcance é o regresso à arte do linchamento (neste caso, em versão *web*). O sol proverbial que nos ilumina é conversa fiada.

Afinal, as trevas que nos faltam são apenas aquelas que, não confessando, nos dominam. Vivemos como vampiros na praia porque arranjamos burcas à prova de raios ultravioleta. Mas, e como os miúdos dizem agora no inglês original, *at the end of the day* temos pouco de dia e muito de fim. O que escrevemos, seja nas páginas oficiais da imprensa seja nas redes sociais, encena a paz que nem sequer nos dá uma noite de sono, não fosse a medicação. E repetimos roboticamente aquela frase sinistra do Raul Solnado: "façam o favor de ser felizes".

Talvez por a felicidade ser esse obséquio obrigatório, ela é tão pouco generosa para nós. Somos maus a ser felizes porque tomamos a felicidade como bússola quando, na melhor das hipóteses, ela pode ser um dos aconchegos de chegar ao destino. Como muitos dos antigos, sei que desejar a alguém que alcance o seu desejo é das maldições mais eficazes. Por experiência própria, já me enrolei bastante por Deus me dar o que queria.

Logo, faço votos que, no início de um novo ciclo, leiamos textos mais ensombrados. Vou até recomendar um clássico da melhor patifaria literária: *O mestre e Margarida*, de Mikhail Bulgákov. É um livro inesquecível também porque demonstra que a humanidade é bem descrita a partir de uma fábula alucinada de pactos com o Diabo: há bruxas em vassouras, há gatos falantes, há Moscou dominada por Satanás. É um belo sermão em forma de *show* de chacota.

A nossa pobreza literária (que é necessariamente espiritual) vê-se no mito da página em branco, incorruptível, fadada para ápices e imune ao ímã de um bom buraco. Há um déficit de trevas no que lemos e escrevemos, e isso torna-nos crédulos. Se reconhecêssemos as bruxas e os demônios que sobrevoam as nossas cidades, veríamos a luz real — a que vem do contraste.

02/01/22

A gravata e o ranho

Há uns tempos assisti a um lançamento de um livro que exigia mais formalidades do que um serviço de culto religioso. A sala era nobre, os mediadores circunspectos, a roupa criteriosa, o público silencioso, o protocolo prudente. Não fiquei completamente admirado porque já sei que as erudições dos nossos intelectuais são em parte uma substituição do Deus em quem eles tendem a não acreditar. Quando cheguei à universidade me dei conta de que os professores, mesmo quando evitavam a crença, não dispensavam pedir-lhe emprestado o rito. A pressa que muitos têm em anunciar o abandono de dogmas não esconde a profusão de sacerdotes.

Para os portugueses que, como eu, têm a mania de querer radiografar o país em que nasceram, o poema "O País Relativo" do Alexandre O'Neill explica muito. Tem uma linha que fixei há uns anos: "País engravatado todo o ano / e a assoar-se na gravata por engano". É verdade que, de lá para cá, temos vindo a desengravatar-nos, mas talvez interesse menos pensar na peça de roupa que é confundida pelo lenço e mais no ranho por assoar. E, neste caso, gostaria de teorizar um pouco acerca da expectoração que vem junto com os modos rebuscados de tratar dela. Por que somos tão dominicais nas limpezas de todos os dias?

Vejamos o que nos corre do nariz então. Arriscaria umas quantas coisas: um excesso de pudor disfarçado de palavreado; uma frontalidade invariavelmente qualificada por eufemismos; uma desconfiança que é o modo de dúvida disponível aos servis; cerimônias cedilhadas para qualquer morte da bezerra; a constipação com que desculpamos a nossa falta de apetite para comer a alegria de uma vez por todas; entre outros estados gripais. E todos esses elementos desfilam no poema do O'Neill. "O País Relativo" é a exposição, parece-me, de um povo inteiro — um povo continuamente entupido.

Descortino na frase do O'Neill um diagnóstico profundo: o que os portugueses acham sujo medicam com solenidade, e nesse processo que é visto como embaraçoso até a gravata ajuda. A nossa solenidade é, portanto, mais um modo de esconder, na ocultação das nossas secreções diversas, do que um modo de encarar — é óbvio que o mundo não precisa de mais porcaria à mostra. Mas, indo além do que se assoa, também é verdade que os nossos rituais escolhem acentuar o mistério para não correrem o risco de, ao verbalizarmos o que está visível, alguém ter melhores olhos do que os nossos. Portugal é um país de poetas mas são poetas pudicos, oradores prontos a acrescentar um crochê às frases para amaciar-lhes os ângulos retos. Enquanto arredondarmos os vocábulos, são menos as pontas prontas a serem agarradas por outros. Suspeito que falemos tanto com medo de ouvirmos outros falarem.

À medida que o tempo passa, esse engravatamento frásico suscita-me uma atitude: quanto maiores são os salamaleques, menos reverência em mim conquistam. Não quero sugerir qualquer apologia da deselegância, nem quero desprezar um sentido de cerimônia que se ajuste ao que é realmente especial. Aos 44 anos, que remédio tenho se não descobrir alguma liturgia sincera no desconforto que nós, portugueses, temos com a simplicidade. Mas inevitavelmente concluo que as nossas adorações mais comuns dependem de amedrontamento. A vocação para a sutileza que julgamos preferir não existiria se não nos ofendessem os saloios.

Nessa medida, há uma formalidade que, para mim, tem chegado ao fim. Não pretendo viver a desengravatar os outros das suas maneiras. Mas admito que tenho dificuldade em ouvir um peito a bater quando qualquer parlatório adota jeitos de parlamento. Parece que a democracia fica tão bonitinha dentro dos seus átrios oficiais que precisamos vesti-la melhor quando sai à rua, não vá ela constipar-se. Há estações que merecem menos roupa no pescoço, sinto que ouço o O'Neill dizer-nos.

27/02/22

A primeira vez que dei a mão ao inimigo

Parte considerável da nossa vida é investida em histórias filmadas de polícias e ladrões. Habituamo-nos a olhar para o mundo também através do antagonismo clássico entre uma pessoa que faz asneira e outra que é chamada a corrigi-la. Nas sextas-feiras de cinema que a Família Cavaco tem, calhou recentemente uma dessas películas criminais em que o maior crime foi eu ter chegado a ela tão tarde. Sabem aqueles filmes que, por alguma razão, nos convencemos que vimos mas que, supostamente ao repetirmos, concluímos que nos passaram ao lado? Foi isso que aconteceu com o *Fogo contra fogo* do Michael Mann. Como se tornou um clássico tão facilmente reconhecido na dupla Robert DeNiro e Al Pacino, tomei-o como meu quando meu nunca tinha sido. Felizmente vi-o com olhos de ver agora.

Gosto muito do Michael Mann e quando tento explicar as virtudes dele aos nossos miúdos falo de uma câmera-arquiteta em que os lugares são tão ou mais importantes do que as personagens. Há até algum exagero romântico no modo como as casas, as cidades e os campos são filmados por Mann, tão envolventes e alinhados que, seja o que for que correr mal, há um contraste que aumenta: diante de planos tão perfeitos, o mal humano, mais do que estilizado, baila coreografado. Nesse sentido, não acho que o Mann estetize a violência (como corre esse risco um admirador seu como Nicolas Winding Refn), mas que a evidencia pelo fato de o palco continuar impecável. Há filmes em que o mal filmado corrói tudo, até a nossa noção de tudo ser uma cena. Com Mann, o cinema, até quando mostra o horrível, não deve perder os seus modos — não se trata de uma indiferença quanto ao mal, mas da assunção de um tratamento específico dele. Se quisermos, até o mal tem de ter modos.

Exemplos desse cinema limpo até quando trata de coisas sujas é Daniel Day-Lewis, o índio Hawkeye, correndo furtivamente pelos bosques americanos (em *O último dos moicanos*), Tom Cruise percorrendo noturnamente Los Angeles como Vincent, o assassino contratado (em *Colateral*), e, obviamente para o exemplo dado com *Fogo contra fogo*, Pacino perseguindo apaixonadamente DeNiro. E é neste último caso que se torna oportuno falar-se da importância do amor pelos nossos inimigos. Al Pacino, o policial Vincent Hanna, menos do que prender Robert DeNiro, o bandido Neil McCauley, quer pôr-lhe a mão em cima. O polícia quer mesmo agarrar o ladrão porque o castigo também pode ter muito de consideração. Nesse sentido, o personagem policial está apaixonado pelo bandido como não consegue estar pela sua própria mulher. E, tendo em conta que o título da obra em inglês, *Heat*, também pode significar cio, fica sugerida uma dimensão mais obsessiva e carnal dessa admiração do homem da lei pelo delinquente.

Como no cinema de Michael Mann, em que a elegância parece um valor democratizado em tantos (tive vontade de cortar a barba como DeNiro tem aqui no filme, mas fui prontamente proibido pela Ana Rute), a consideração que devemos ter por aqueles que merecem ser castigados deve seguir esse mesmo princípio de graciosidade. Ao invés de daqui sair uma relativização do mal, sai uma valorização da necessidade da correção: a justa condenação do erro não existe sem o reconhecimento do talento que ele pressupõe. A santidade é sempre o aluno que mais aprende com o pecado.

Quando vivemos pensando que ter inimigos é mau, boa é coisa que a nossa vida nunca será. Todo Vincent Hanna precisa de um Neil McCauley. Um dos grandes prejuízos de uma existência ausente de inimigos é a perda do desejo de termos algo das pessoas que são contra nós. Quando só temos medida para apreciar os que nos parecem bons, redundamos em criaturas de escasso critério — em vez de crescermos na nossa apreciação do que é bom, embrutecemos nas nossas certezas precoces sobre o que é mau. O universo torna-se minúsculo quando não sou capaz de apreciar nada na pessoa que naturalmente posso odiar.

É a existência do inimigo que em grande parte fará o que é bom por mim. Sem inimigos o mundo é uma máquina fotocopiadora em sobreaquecimento — inevitavelmente pifará. É quando algo com uma origem adversa se torna inesperadamente benefício que a verdadeira aventura começa. A pessoa que naturalmente suscita o meu desprezo poderá então suscitar alguma coisa além dele. Do ódio pode surgir o amor. A pessoa mais sábia cultiva o reconhecimento das qualidades dos seus oponentes — assim, o rival poderá até transformar-se em fã. Toda essa conversa vai muito mais além do que o *Fogo contra fogo* do Michael Mann e a dupla irresistível que Pacino e DeNiro são. Isso não é só arte, não é só cinema, é também teologia e a nossa vidinha mesmo. Quando Deus é logo nosso amigo, fraca cena daí virá. Mas, se como adversários, tivermos de lutar, quem sabe se o desfecho não vira, paradoxalmente, para um plano de mãos dadas?

04/09/22

Terror em família
(ou o Dia da Reforma Protestante)

Já em anos anteriores a Família Cavaco tem testado um tipo de ciclo de cinema em casa na semana do Halloween. A escolha dos filmes é talvez mais letiva do que lúdica e por isso antiguidades impõem-se. Já vimos o *Nosferatu* do Murnau (um filme com cem anos que, na original ausência de som, continua a ser horripilante), já vimos o *Mortos que matam* (com o obrigatório Vincent Price na história escrita pelo Richard Matheson, de onde mais tarde viria o *Eu sou a lenda* com o Will Smith), e vimos recentemente o *Psicose* do Hitchcock. Os nossos filhos bem se queixam da ausência do açúcar tecnológico do cinema de hoje, mas, se Deus quiser, terão uma vida pela frente para se empanturrarem em lixo, já longe do nosso olhar paternalista. Educar também é impor dietas decentes tendo em conta que o futuro da engorda a eles lhes pertence se, a pretexto do livre-arbítrio, quiserem estragar o melhor que os pais lhes tentaram dar.

Este ano não quis que falhasse *O sétimo selo* do Ingmar Bergman. Tive de lhes aturar as queixas amuadas em jeito de "mas isto é um filme de terror?". O certo é que no fim o desconforto estava instalado. Ainda que aquela hora e meia sueca tenha espaço para humor tosco e desencontros abarracados, quando chega o clímax do filme damo-nos conta de que se instalou vagarosamente um sobressalto. Uma partida de xadrez com a morte pode até envolver um ritmo lento, mas é um jogo que inevitavelmente trará um desfecho. E a morte ninguém consegue driblar. A última cena, com aquele grupo guiado pela mão da ceifeira filmado ao longe, é uma visão que dificilmente se esquece — tão batida mas tão brutal.

Qual é a vantagem de darmos bons filmes de terror aos nossos filhos? Não quero que a resposta venha em modo demasiado defensivo, até porque essa é uma causa não oficial da nossa família (não temos o cinema de terror como um objeto educativo fundamental). Mas creio que o mérito do cinema de terror (que tão naturalmente entrou nas mais primordiais experiências filmadas) é o que ele traz de contenção e não necessariamente de contágio. O que isso quer dizer é que só uma pessoa muito distraída toma um filme de terror como o iniciador de algum medo que até então não existia. É o contrário, acredito. O cinema, quando aterrorizante, apenas testa imagens que delimitam todo o medo que naturalmente começou antes dele. O centro do meu argumento é este: o que mais nos assusta num filme de terror não é o que ele nos acrescenta no território do pânico; o que mais nos assusta num filme de terror é como ele oferece imagens a medos que já cá estavam e que talvez não soubéssemos. Nessa medida, um filme que dá um abalo pode ser um filme que dá um á-bê-cê.

Escrito isso, não me passa pela cabeça promover o cinema de terror por si. Céus, há tanta coisa errada com o cinema de terror. A questão é vivermos num tempo em negação. Simplificando muito, a nossa obsessão pela segurança (e, naturalmente, sou a favor de viver seguro) revela uma predisposição ingênua mas arrogante de evitar o medo a qualquer custo. E quando evitamos o medo a qualquer custo, tornamo-nos ironicamente mais suscetíveis a ele. A Flannery O'Connor, aplicando estes assuntos mais à literatura, dizia que "quando o nosso sentido do mal se dilui ou simplesmente desaparece, é esquecido também o preço da restauração". Se não cultivarmos uma percepção clara do que o mal é, venha ela do que vemos, do que lemos, do que ouvimos, esvai-se a convicção de que o bem, mais do que algo estático, é também a aventura assustadora da redenção do errado. Logo, qualquer povo precisa de uma expressão convicta do medo que tem nas canções que entoa, nas imagens que filma, nas orações que confessa. O assustador é não viver assustado com nada.

Curiosamente, o Halloween funciona mais como um pretexto para a espécie de ciclo de cinema de terror da Família Cavaco. Caramba, somos portugueses e o Halloween não tem nada a ver conosco (em poucos anos isso mudará, estou certo). Tem piada o fato de o Dia das Bruxas calhar no Dia da Reforma Protestante: 31 de outubro. Crê-se que terá sido nessa data, no outono alemão de 1517 da pequena cidade de Wittenberg, que Martinho Lutero, já sem pachorra para touradas teológicas, afixou as suas "Noventa e Cinco Teses Contra as Indulgências". Não me custa a crer que alguma mitologia cresça a partir dessa história. Mas continuo mais crente do que nunca no seu valor. Lutero é um herói para nós (tenho um livro escrito sobre ele chamado *Cuidado com o Alemão*, que pode ser alvo de muitas críticas mas de ser chato nunca foi acusado — comprem-no!). E é mais divertido ainda ter Lutero como um herói num país como Portugal, onde séculos de má publicidade continuam a torná-lo um monstro maior do que foi.

Ter Lutero como herói não é tão diferente assim de fazer ciclos de cinema de terror em família — parece a coisa errada. Mas, mais de quinhentos anos depois, ser protestante continua a parecer ser uma coisa errada. As razões que tornam o protestantismo alegadamente errado hoje não correspondem necessariamente às razões que o tornariam alegadamente errado há quinhentos anos. Os anos passam, as razões para ser alegadamente errado mudam, mas matar o protestantismo ainda ninguém conseguiu. A causa que celebro neste texto é a do privilégio que é meter medo. Precisamente por falta de protestantismo em Portugal, as pessoas lidam mal com o bem poder meter medo. Deu-se o monopólio do susto ao Diabo quando o Diabo, como Lutero lembrava, é "o Diabo de Deus". O cavaleiro Antonius Block mostra ao longo de *O sétimo selo* sentir-se espantosamente à vontade com a personagem visível da Morte: é com o Deus invisível que o nervosismo lhe começa. Enquanto formos tão espantosamente bem-sucedidos em impedir a insegurança das nossas almas, seguramente não encontraremos o caminho para o céu. Venha a ceifeira tomar-nos a mão para o abismo.

Bom dia da Reforma Protestante para todos!

30/10/22

O tolinho que lia e chorava

Não consigo recordar onde e quando ouvi ou li a ideia de que os livros são espelhos. Quando lemos, e mesmo que leiamos a história de alguém que não existiu (ou a história de alguém que nem sequer pode existir, no caso de personagens mitológicas), podemos encontrar quem somos como até esse momento nunca tínhamos encontrado. Portanto, quando pegas numa página escrita, não encontras coisas novas apenas; podes encontrar a coisa mais antiga para ti que és tu mesmo, ainda que a pretexto de uma história completamente diferente da tua. Ler pode ser descobrir o novo, mas ler pode também ser constatar o mais corriqueiro num momento de surpresa. Não é por isso de estranhar o poder que alguns livros têm de alterar completamente a nossa história: entramos neles de um modo e saímos deles de outro.

Uma das últimas vezes que isso aconteceu comigo foi com Charles Dickens. Passava um período sabático com a família em Jackson, no estado do Mississippi, e o escritor britânico ocupava a primeira parte das minhas manhãs, com as aventuras e desventuras de Pip em *Grandes esperanças*. Lia primeiro a Bíblia, lia depois o Dickens, e lia ainda o livro incrível que o americano Mark Molesky escreveu sobre o nosso terremoto de 1755, editado em português com o título *O abismo de fogo*. Essa foi uma época de leitura intensa, para um leitor lento como eu. Como parti para esse tempo de descanso todo exaurido, qualquer coisa que lia tinha um efeito terapêutico exponencial. Lia, chorava, lia, chorava. Parecia um tolinho — estão a ver a linha.

Acho improvável que a leitura dos últimos capítulos de *Grandes esperanças*, quando feita de coração aberto, se faça de olhos secos. Uma das genialidades do livro é que quem recebe o maior impacto pelo que acontece ao Pip nem é o leitor, é o próprio Pip. Ou seja: o melhor que encontramos nessa história também passa pelo fato de a sua personagem principal ser a mais perdida nela. Felizmente, isso não acontece sem esperança — afinal elas são grandes e, de certo modo, concretizam-se. As voltas e reviravoltas desse livro de Charles Dickens serviram de mapa possível para o jovem Pip e para o Tiago mais envelhecido e cansado que o lia — as *Grandes esperanças* espelharam-me.

De lá para cá, e além da referência constante e óbvia que é a Bíblia, gosto de aplicar uma pequena disciplina pessoal: que livros é que andam a dar-me o reflexo mais nítido de quem sou? Qual é o espelho que tenho encontrado naquilo que outros escrevem? Quem sou eu nas palavras que não são minhas? Não me quero imaginar abandonado a mim mesmo e ao discurso que tão naturalmente possa produzir acerca de quem sou: já lá estive e não é um lugar que recomende.

Uma das linhas de *Grandes esperanças* que, verdade seja dita, podia integrar um catálogo de frases de autoajuda, vai assim (e deixem-me arriscar a minha tradução própria): "O sofrimento tem sido mais forte do que qualquer outro ensino, e tem-me ensinado a compreender o que o [teu] coração costumava ser. Tenho sido dobrado e partido, mas — espero — para um molde melhor".

Um molde melhor. As palavras moldam-nos. Não ler é desistir desse molde melhor, dessa forma preferível. Como espelho que os livros são, os nossos contornos não são apenas revelados por eles como também refeitos.

18/09/22

A elegância chocha

Quase todas as leituras são atrasadas na medida em que, com a exceção dos livros que lemos mal saem, podiam ter sido feitas antes. Por exemplo: comecei agora a ler a Agustina Bessa-Luís. Claro que já a tinha lido em segunda mão e, aqui e ali, citada em maiores extensões (conhecia um ou outro conto mais pequeno, creio). Mas a minha leitura séria dela só começou nas últimas semanas. E vem aquela culpa típica, de não me querer perdoar por tão grande procrastinação. Talvez por isso o admita publicamente, como quem expia à frente do povo um pecado que até podia ser privado. Eis-me diante de vós, eu, um português do século 21, que até aqui me tinha impedido de ler uma fazedora de prodígios com a nossa língua como a Agustina.

Encho-me rapidamente de opiniões precoces acerca do gênio dela. Para já concentro-me na sua opção por palavras perdidas, arcaicas ou em desuso — mas sempre lapidares. Claro que me apetece acrescentar que a opção por palavras perdidas acontece também em função da sua opção por personagens igualmente perdidas, mas devo refrear-me. Nos seus primeiros *Contos impopulares* chama-me a atenção o uso do termo "medíocre". Certamente que a palavra "medíocre" não é uma palavra perdida porque continua a gozar de alguma popularidade. Mas quando a Agustina escreve "medíocre", a mediocridade em causa vai além do esperado. Talvez por meu defeito profissional de pregador, sinto-lhe uma acepção espiritual. A mediocridade detectada pela Agustina nas suas personagens tem desenvolvimentos mais sugestivos.

Tendemos a tomar as pessoas medíocres como condenadas à sua própria insignificância. *But no so fast*. Se a mediocridade fosse um estado que desse nas vistas, provavelmente decresceria a olhos vistos. A mediocridade é uma espécie de nevoeiro suave, que se confunde com a possibilidade de chuva. A mediocridade não é tanto uma substância por si mesma, mas mais uma parasitação espiritual que se dá sobretudo nos lugares intermédios, de temperaturas amenas. Certamente a mediocridade traz uma mediania, que já é denunciada na própria palavra. Mas a mediania da mediocridade, por redundante que pareça notar isto, estraga mais do que as rasuras óbvias da imbecilidade. Nesse sentido, um imbecil é mais extraordinário e raro do que um medíocre.

Por exemplo, no conto "Míscaros", o personagem principal, L., "era um rapaz, estudante ainda, do gênero que se chama original, isto é, destinado a cristalizar na elegância chocha, à custa de desejar superar a própria personalidade". Desejarmos superar a nossa personalidade é hoje uma ladainha comum, incrível e tragicamente consensual — andamos todos à procura da melhor versão de nós mesmos, remetidos ao anglo-destino do *you do you*. E, lá está: ambicionarmos uma espécie de autotranscendência é, nas palavras de Agustina acerca de L., de "uma elegância chocha". A mediocridade, elegância chocha, é tão mais eficaz quanto mais suplantadora se considera. Numa entrevista em 2002, a escritora confirmava: "a mediocridade é uma forma de grandeza. [...] É melhor ser mais modesto e mais feliz, abandonar essas grandes metas que no fim de contas não interessam".

É curioso porque o texto bíblico do Livro do Apocalipse, quando condena a mornidão, opera segundo a mesma lógica. "Conheço as tuas obras, que nem és frio nem quente. Quem dera fosses frio ou quente!" (Apocalipse 3.15). Ao contrário do que pode parecer à primeira vista, os mornos em questão, integrantes da igreja de Laodiceia, não tinham uma autoimagem mortiça. A mediocridade espiritual deles era persistente porque lhes nascia do sentimento de autossuficiência. Os laodicenses não eram maus por seu descaso; os laodicenses eram maus porque julgavam ter tudo o que precisavam. Do mesmo modo como no passado se tinham reconstruído de um terremoto no ano 60 a.C. sem precisar da ajuda de Roma, também em termos espirituais a igreja se comportava como não precisando de nada além de si mesma.

Logo, aquilo que é mais assustador na mediocridade não é necessariamente uma preguiça evidente ou uma indiferença existencial. O que é mais assustador na mediocridade é que ela pode vir na aparência de alguma eficácia e até de grandes destinos. Uma das ideias mais surpreendentes no texto bíblico surge depois, quando é dito àquela igreja de Laodiceia: "e nem sabes que tu és infeliz!" (Apocalipse 3.17). Pior do que sentir infelicidade é nem sabê-la em nós — esse é um dos terríveis feitos da mediocridade. A Agustina escrevia com qualidade profética quando, notando as nossas mediocridades, as denunciava não em nudez, mas em sonhadas superações tecidas. Do gênero que se chama original.

04/12/22

Leonard Cohen em Mem Martins

O lugar é Mem Martins, numa igreja evangélica liderada por brasileiros que é, neste momento, maioritariamente angolana. Portugal, novembro de 2022. Eu e mais cerca de trinta pessoas esperamos demoradamente pelo início de uma cerimônia de casamento. Tudo se atrasou no consulado de Angola e, por isso, o atraso no horário ultrapassa as duas horas. Aguardo já dentro do salão de culto enquanto uma música instrumental dá ambiente. A mesma canção está em *loop* há pelo menos meia hora. Trata-se de "Hallelujah", do Leonard Cohen.

Não sei se tiveram assim uma fase mais existencialista *pop* no final da adolescência, mas eu tive (a rigor, ainda estou a tentar sair dela). Essa fase deu-me uma curiosidade por alguns discos do meu pai que tinha ouvido ao crescer mas sem prestar grande atenção. Num acampamento batista de verão, ali no início da década de 1990, o meu conselheiro (o nome que dávamos aos monitores) chamava-se Daniel Jonas (esse mesmo em quem estão a pensar) e tocava "Suzanne" ao violão no meio do pinhal. Um alçapão imediatamente se abriu na minha memória e, ao regressar a casa, fui resgatar a discografia do Leonard Cohen, esquecida na prateleira dos vinis nessa era negligentemente digital. Eu, que à época vivia em dieta auditiva *punk*, tive no cantor canadense um convite às delícias da introspecção. Afinal, havia mundo além do apelo à revolução e não sabia.

Fui ao som e fui aos poemas. Dediquei-me a estudar as letras e a compreender que os ouvidos ouvem mais quando as palavras nos criam novos universos. O Cohen começou a inventar coisas que até então não existiam na minha maneira de ouvir música. Uma das oportunidades para isso deu-se, claro está, à custa de "Hallelujah". "Now, I heard there was this secret chord / That David played and it pleased the Lord / But you don't really care for music, do you?" — ainda hoje isto me sai de cor, como uma torneirinha aberta. Naquela ocasião pensava: "Uau! Isto é novo e isto é velho para mim!". Um miúdo crescido numa igreja protestante sabe bem quem é Davi e sabe bem o que é um salmo. O Cohen era, nesse sentido, como eu — uma criatura cultivada nas Escrituras.

Durante anos tentei imitar essa elevação poética do salmista. Foi também à custa disso que eu e os meus amigos criamos a editora FlorCaveira, em que havia um dogma trinitário de referências: Dylan, Cash e Cohen. Nunca consegui ser um salmista como eles, mas também é verdade que continuo a não desistir. Sobretudo acompanha-me a última frase da canção: "And even though it all went wrong / I will stand before the Lord of Song / With nothing on my tongue but Hallelujah". Sei, porque a igreja me ensinou e porque o Cohen me ensinou, que toda a existência é avaliada a partir do louvor que exprime. O Dia do Juízo Final é, nesse sentido, uma espécie de concurso musical televisivo mas um bom, em que os concorrentes têm sucesso quando adoram o Criador com todo o coração. A afinação, o timbre e todas essas questões mais técnicas têm uma importância moderada. O que está em causa mesmo é se o refrão que repetes é o "Aleluia".

Na Assembleia de Deus de Mem Martins onde estou sentado, a noiva ainda não entrou e o instrumental não para. A parte mais impaciente de mim já quis abandonar o ritmo não europeu deste casamento que teima em não começar. Mas sei que este lugar ocupado por expatriados mais soltos do relógio é o indicado para me lembrar da tal exigência da adoração. Esta igreja evangélica de emigrantes na linha de Sintra representa na perfeição a intromissão que o louvor implica. Louvor não é o que fazemos por estarmos certos no tempo e no espaço. Não. Louvor é também o que acontece nos nossos atrasos mais espalhafatosos e nos locais mais errados. Louvor é quem eu sou quando tudo falhou, como lembrava o Leonard. Cristo teve o momento mais público da sua vida na hora e no lugar do fracasso mais cósmico. A cruz é Deus a reprovar nos testes mais imediatos que lhe fazemos.

Finalmente o casamento começa e o *loop* de "Hallelujah" termina. Vejo o noivo e a noiva chegarem. Junto-me ao cântico na acústica difícil da sala. Refreio as emoções porque aos 45 anos estou um sentimentalão sempre que o assunto é estrangeiros vivendo de promessas. Na verdade, ninguém tem lugares ou horas que sejam naturalmente seus. Portugal pertence-me tão pouco como me pertence a pontualidade. Quem realmente somos, com mais ou menos existencialismo *pop*, vê-se quando cantamos "Aleluia". A partir daí, sim, alguma terra e algum tempo podem ser nossos.

Deus abençoe a Anita e o Savita!

06/11/22

Parte V

Felix culpa, ou "culpa feliz"

De pecadores para pamonhas

Uma das coisas mais chatas no fato de as pessoas não lerem a Bíblia é que ela não é reconhecida como o "manual de maus costumes" que José Saramago sabia que era. A ignorância popular presume as Escrituras como, pelo menos, vagamente inspiradoras, e assim mais uma razão se ganha para só lá ir quando, por algum motivo realmente muito metafísico, se queira deleitar em sublimidades. Como na maior parte do tempo a nossa vida não se coaduna com supostas sublimidades, acabamos completamente desfamiliarizados com a Bíblia. Esse é um dos truques quase infalíveis do Diabo: convencer as pessoas de que a Bíblia é uma biblioteca de gente boa para gente boa.

Uma das vantagens de uma criança educada a ler a Bíblia é que nada fora dela a vai escandalizar. Crimes conjugais? *Check* logo nos primeiros capítulos do Gênesis. Irmãos que dão cabo da vida de irmãos? Idem. Poligamias e incestos? A mesma coisa ainda no primeiro livro da Bíblia. Racismo e limpezas étnicas? Próximo. Esquartejamento de vítimas de violação? É só ler o livro dos Juízes. A lista podia continuar, mas, para a preservação dos nossos estômagos, esses exemplos servem para o efeito. A Bíblia não foi escrita para nos fazer sentir bem, mas o contrário. Certamente que depois, e lida com o espírito certo, nos providenciará paz e até perdão. Mas antes de todos esses céus, pisamos-lhe os fossos mais medonhos. Quem lê o Livro Sagrado não usa material de alpinismo, para atingir os píncaros da existência, mas galochas para que a lama não nos chegue rapidamente às meias.

Jesus era muito sensível ao catálogo de malfeitorias que o Antigo Testamento lhe providenciava. Mais ainda: quem lê os Evangelhos sabe que o Senhor, mais do que a bondade lorpa dos religiosos, meditava na malícia dos pecadores. Se há característica da pedagogia de Cristo que, depois de quatro décadas, me continua a surpreender é a da imitação dos maus. Como assim? Partilho uma mão cheia de exemplos. No Sermão do Monte, Cristo toma os fariseus como referência a ser ultrapassada e não negada (Mateus 5.20), e faz pedagogia a partir de pais maus para que confiemos no melhor de todos que é Deus (Mateus 7.11). No Evangelho de Lucas, Jesus usa quem despacha um amigo sem noção de tempo (Lucas 11.5-8) e, talvez num dos textos mais dado a equívocos, elogia o mordomo infiel para explicar que, para sermos competentes com as coisas santas, convém sermos espertos com as desgraçadas (Lucas 16.1-13). Simples como as pombas e prudentes como as serpentes, resumirá ele para termos a noção de que somos enviados para o meio de lobos, e não para o meio de anjos (Mateus 10.16).

O que está em causa nessa pedagogia aparentemente escandalosa não tem nada a ver com relativismo moral. Naturalmente, Deus quer os seus a portarem-se como deve ser. Mas num mundo caído, não nos portamos como deve ser na ignorância dessa mesma queda constante. Pelo contrário, Jesus quer que reconheçamos que geralmente para fazermos as piores coisas nos guiam padrões elevados. E, reconhecendo-os, sabermos que Deus nos pede mais e melhor. Grande parte da santidade que não temos vem do empenho que não admitimos na indecência. Um dos privilégios que tenho como pastor é sentar-me na primeira fila no conhecimento das patifarias irrepreensivelmente executadas pelos pecadores que confiam em mim em confissão. Aprendo sempre muito com os pecados dos outros. Quando os ouço, a minha obrigação é orar: "Senhor, dá-me mais vontade para te obedecer do que a que estes usaram para te abandonar".

Tristemente, o que dedicamos ao arrependimento não se compara com o que dedicamos ao pecado. Tendo a simpatizar mais com os pecadores quando estão na fase do pecado do que com os pecadores quando estão na fase do arrependimento precisamente por isto: os segundos constantemente perdem a ambição. Quando se endemoninhavam se metiam em atrapalhadas sem conta; agora que os acompanha o Espírito Santo são uma cambada de pamonhas. Não aprendem nada com Jesus, o Mestre, quando propõe que não ignoremos a maldade mas que a apreciemos a ponto de a ultrapassar. Imaginem o potencial de alguém mais aceso para a santidade futura do que para a safadeza passada. Como sabia Flannery O'Connor, o céu é dos violentos.

À medida que nos descristianizamos, vai-se perdendo o critério de estimar uma bandidagem. Na educação dos nossos filhos essa é das tarefas mais complicadas. Tenho a opinião de que o esforço dos pais era no passado encaminhar os seus em ter prazer na coisa certa. Os nossos tempos são delicadíssimos porque damos por nós com adolescentes assustadoramente prontos para se portarem bem. Os ídolos da juventude são delatores a favor da responsabilidade, o que nos força a ter de incutir alguma impiedade aos nossos pequenos. Pior do que dar-se ao cancelamento de outros, é que muitos nas novas gerações nem sequer entendem que possa haver algum prazer em correr o risco de ser cancelado. A tragédia não é o Diabo ter o Ocidente nas mãos; é ele passar a vida a esfregá-las por já não o precisar tentar.

30/01/22

Quando pedir desculpas é do Diabo

Para a fé cristã pedir desculpas é essencial. Sem arrependimento não há cristianismo. Uma vida sem a certeza do estrago provocado pelos nossos erros encaminha-se infalivelmente para o inferno. Por isso, sem pedir perdão não há paraíso possível — dependemos totalmente de dar um sinal privado e público de que lamentamos as nossas ações. Ou Deus arranja maneira de nos justificar através de Cristo, que agora nos chega pelo Espírito Santo, ou estamos fritos. Possivelmente de um modo literal.

Mas eis que chegamos a um tempo em que, uma vez mais, o cristão anda na contramão do mundo. Quando a toda hora e a todo momento se oficializa a necessidade de as pessoas pedirem desculpas, cabe aos cristãos questionar essa nova fé cívica. Aí é preciso pedir perdão? Então talvez seja isso mesmo que não vamos fazer. Num momento em que se praticam juízos finais todos os dias, boicotamos a audiência e o tribunal que se dane. A bem do destino eterno das nossas almas.

Com ou sem grande consciência, o meu Pai catequizou-me no Leonard Cohen. O disco mais ouvido era o *Various Positions* (um título algo desviante para uma catequese, diga-se de passagem), mas anos mais tarde cheguei ao *The Future*. Logo na canção de abertura, de mesmo título, Cohen lança-se em visões proféticas que anunciam: “I’ve seen the future, brother / It is murder” — assim numa tradução muito direta e livre: vai dar ruim. Em seguida, o cantor pergunta, intrigado: “When they say ‘repent’ / I wonder what they meant", isto é, "Quando dizem 'Arrepende-te' / Pergunto-me o que é que isso quer dizer". Durante anos ouvi esse refrão pensando que alguma dose de arrependimento genuíno não faria mal ao Leonard, mas algo importante escapava-me: pior do que não se arrepender é arrepender-se por decreto. E, nesse sentido, lá está!, o Cohen já via um futuro que eu não — a nitidez do seu augúrio de trinta anos atrás impressiona.

A vida da pessoa que cresce com os pés plantados na Bíblia é, como os miúdos agora dizem no inglês original, uma *guilt trip* sem fim. Arrastamos culpas o tempo todo, e quem se livra delas provavelmente ilude-se mais do que realmente se iliba. A questão é tão marcante que Agostinho teve a manha de cunhar o termo *felix culpa*, "culpa feliz", que é a que sentimos por sabermos que o erro dos erros, aquele cometido no Éden por Adão e Eva, teve o efeito positivo de proporcionar posteriormente a redenção de Jesus. Ou seja, Deus tem a capacidade de usar a nossa liberdade para errar para o nosso bem. A questão é que o Diabo também se intromete nesse negócio e arranja meio de usar a nossa liberdade para fazer as coisas certas para o nosso mal.

E é essencialmente isto que está em causa no fenômeno contemporâneo dos pedidos de desculpas: é Satanás a comandar que façamos as coisas certas para o nosso mal. Enquanto nos sentimos mais virtuosos, toleramos menos a liberdade dos outros para errar. No esquema divino, Deus tem misericórdia de nós quando sinceramente lhe clamamos por perdão; no esquema satânico, que é o que vivemos, podemos ter a certeza que quanto mais clamarmos por perdão, seja sincera seja insinceramente, nenhuma misericórdia receberemos. No fundo, pedir desculpas hoje é um processo contínuo em que o produto final nos é fatalmente impedido. Deus perdoa, mas esse pessoal, nem penses.

Por isso, pastor diplomado que sou, deixa-me que te diga: guarda os teus pedidos de desculpa para um povo realmente perdoador. Essa gente não quer o teu bem quando reconheces o teu mal. Essa gente quer o teu mal quando tentas ser bom. Não duvides que um coração arrependido abre as portas do paraíso. Mas desculpas forçadas são as trancas do inferno — quando te mandarem pedir perdão, manda-os tu para lá.

13/03/22

Pior que pedinchar milagres é não precisar deles

As pessoas têm medo de quem parece alucinado na igreja. Tudo deve ser moderado, e a religião não é exceção. Que se acredite vagamente em algumas coisas invisíveis, está certo; mas cuidado com os arrebatamentos. A nossa imaginação popular consegue atingir promessas cumpridas de joelhos em Fátima, mas até isso tolera com dificuldade crescente. Estimo que gente cantando de mãos levantadas e olhos fechados possa já pontuar na escala da histeria coletiva. E vindo de Portugal, o ambiente religioso a que pertenço corre o risco de surgir na lista de patologias enumeradas pela Organização Mundial de Saúde. Talvez qualquer dia vos escreva devidamente internado.

E a verdade é que, sob tanta pressão, até alguns cristãos evangélicos sucumbem. Eu próprio, crescido em igrejas batistas, geralmente tidas por mais sóbrias, também já olhei para os meus irmãos mais agitados com suspeita. Alguém com apreço por sensatez pública entra num serviço de culto desses, mais exuberante, e vê todas as bandeiras vermelhas erguerem-se: há gente a chorar, há gente até a gritar, há gente a abrir a carteira e, aqui e ali, há gente a cair no chão. O pacote da insanidade parece vir completo e os mais prudentes quererão ficar longe, não vá alguém nos querer engabelar. Uma igreja evangélica mais intensa assim é o pesadelo de quem quer manter algum controle sobre sua vida — só gente muito desgovernada pode encher lugares desses.

Mesmo que não o afirmemos em frente ao espelho,

acalentamos a esperança de pertencer a um grupo diferente. Conosco a história terá de ser outra: ninguém nos engana, ninguém manda em nós, ninguém nos diz o que fazer. Já quase vivemos em piloto automático, de tão orientados que estamos. Governamo-nos. Não é que sejamos autossuficientes, mas vamos sendo o suficiente para nós próprios. Não temos necessidades extraordinárias porque as vamos suprindo nós mesmos (o que não deixa de ser extraordinário!). Pedir é para quem precisa, e não precisamos assim tanto.

Se é verdade que nunca me considerei autossuficiente, também é fato que não olhava para mim como um desgovernado. Mas Deus tem cortado as unhas das minhas ilusões. Aconteceu apanhar-me tão desgovernado que conclui que quase quarenta anos a cultivar-me como moderadamente governado de pouco me serviu. Dei-me ao luxo de pedir o irrazoável quando décadas do que julgava razoável não me impediram de me sentir no lixo. Voltar a algum tipo de normalidade parecia-me um milagre, e foi esse milagre mesmo que pedi a Deus. Chorei, esbracejei, li sobre cordas amarradas a vigas de madeira resistentes que suportassem o peso de um corpo. Estava num estado tão ridículo como os desesperados nas igrejas evangélicas que prometem prodígios.

E dei-me conta de uma miséria particular: pior do que pedinchar milagres é nem precisar deles. A experiência mais absurda, bem vistas as coisas, não era andar aflito, homem feito que era. A experiência mais absurda era quase quatro décadas vividas na presunção de me ir governando. Ao estar eu em crise, estava um sistema completo, um parlamento de vozes dentro de mim invocando desesperadamente um estado de emergência que salvasse uma sociedade inteira. Cheguei à conclusão de que, apesar de ter sido educado a duvidar de impérios, agora tinha de acreditar forçosamente num por conta da sua queda. Esse império era eu, e a anarquia que o ameaçava prometia uma competência que nenhum dos aprumados funcionários da paz que até então julgava perene mostrava.

Calculo que haja uma censura a quem pede milagres que provenha de um certo bom senso: afinal, parece irresponsável esperar que a solução dos nossos problemas seja externa ao que fazemos por eles. Mas por trás dessa responsabilidade, pode haver uma arrogância. Desde quando é que resolvemos seriamente uma coisa sem precisarmos de intervenções externas? Nesse sentido, assumir a nossa incapacidade de providenciar soluções às pessoas a quem melhor deveríamos conhecer as necessidades, nós mesmos, pode ser a melhor ajuda que lhes damos. Eu sair da frente para me ajudar pode ser o melhor que faço por mim — eis uma definição de milagre que me é querida.

Hoje quando vou à igreja só peço e celebro coisas típicas de desgovernados mesmo. Pedincho milagres porque sem eles não me consigo levantar da cama na manhã seguinte. Celebro quedas de impérios enquanto espero pelo único que se aguentará e que, providencialmente, servirá todos os desgovernados como eu. Não sei se pareço muito alucinado, mas, se for esse o caso, acho que não me importo muito. Como vos disse, não confio assim tanto em gente que não desespera por visões alternativas. Vejo um futuro e juro que não me parece uma alucinação: lá ao fundo vem um tempo a chegar em que ser saudável nos fará levantar os braços de olhos fechados. Sem ponta de vergonha.

03/04/22

Levar a lepra para a Lapa

Pastoreio uma igreja evangélica na Lapa há uma década. Além de toda a suspeita que ser pastor evangélico já pressupõe em Portugal, imaginem o extra quando isso acontece num bairro privilegiado da capital. Juntar evangélicos entre os endinheirados é como calçar chinelos no tapete vermelho. Nessa medida, os últimos dez anos da minha vida têm sido também levar a lepra para a Lapa.

Quando o Herman José tinha piada ríamo-nos das tias da *socialite*, entaladas no dilema de guardarem algumas tradições religiosas ou deixarem-se mundanizar como beatas que já não conseguem ser beatas como as suas avós foram. As Lilis e as Cinhas, trazidas à ribalta pelo humorista, encarnavam na tevê a angústia ancestral de tentar resistir a ganhar o mundo perdendo a alma. Nesse sentido, as tias da Lapa ainda têm espíritos para salvar, mas dificilmente se sujeitariam a que tal acontecesse na igreja onde quem está são as suas empregadas domésticas. Louvo na Lapa mas há pouca Lapa onde louvo — há poucas tias dentro da minha igreja.

Certamente que há na minha igreja na Lapa gente da Lapa. É pouca, ainda assim. A grande maioria vem de fora e, por isso, facilmente se encaixa no papel de invasor. Sei disso e sinto isso no modo como nos cruzamos com os moradores. Não quero estar aqui com a cantiga do coitadinho até porque coitadinho é coisa que não sou, mas os produtos originais da Lapa sabem fazer sentir os outros como os produtos não originais que, de fato, são. Eu, que ainda por cima não vivo na Lapa mas venho de Oeiras, integro uma pequena multidão de gente que, ao praticar a sua religião longe de casa, não consegue totalmente ter casa onde pratica a sua religião.

E se aos domingos é notório o nosso desencaixe, trazendo uma devoção animada que em tudo contrasta com a reserva fina e pudica do catolicismo cultural que ainda prevalece ali, durante a semana o mesmo acontece ainda que de outra maneira. Nos dias de semana chego cedo à Lapa, aí por volta das oito da manhã. Como venho de trem, faço o percurso suburbano típico, precisando literalmente ascender, uma vez que a estação de saída é a de Alcântara (ou Santos), ao nível do rio, e a subida impõe-se. Venho acompanhado de outras pessoas que seguem para trabalhar na Lapa: geralmente empregadas domésticas de origem africana (que em poucos minutos saem fardadas da casa das patroas para passearem os cães vistosos), e homens que vão para as obras que ali recuperam qualquer velho casebre para futuros preços exorbitantes com vistas incríveis para o Tejo. Estou, como pastor evangélico na Lapa, na mesma condição daquele povo, socialmente abaixo. Não é, por isso, por acaso que com frequência ouça na boca dessas empregadas e desses homens das obras cânticos evangélicos enquanto trabalham. Como já escrevi num texto antigo, "os evangélicos são os pretos do cristianismo", e são esses mesmos que servem nos bairros privilegiados lisboetas.

Na realidade, este texto não é acerca de diferenças sociais e não quero usar de, ao notá-las, inscrever-me no lado certo da história, que é nestes dias inevitavelmente arrendado aos supostamente desfavorecidos. Não acredito em desfavorecidos porque a graça de Deus ainda é de fato gratuita e para todos (como bem explicava a menina do faroeste *Bravura indômita*), e porque, no meu Livro Sagrado, quem está mais tramado são os ricos, que só com a dificuldade de um camelo num buraco de agulha entrarão no céu. Eu, que nunca fui rico, não tenho pena de quem, como eu, nunca rico foi: tenho sobretudo pena dos ricos para quem salvar a alma é ainda mais difícil. Talvez por isso, Deus me tenha colocado a pregar no meio deles. Eles, que pouco me ouvem, vivem mais à rasca do que os enrascados, de quem estou financeiramente mais perto — estou no bairro dos ricos com a bancarrota dos pobres, eis a minha vocação.

Mas a pena que tenho dos ricos não é o paraíso que imponho aos pobres. Não é pelo fato de os ricos constantemente se amaldiçoarem a si mesmos, pela ganância em ter mais, que os pobres se abençoam por pouco ter. Só quem nunca teve pouco idealiza o pouco ter como um nirvana existencial. O elogio da pobreza dos Evangelhos não tem a ver com dinheiro mas com dependência: o pobre de espírito (ou humilde, em Mateus 5.3) é mais feliz porque não tem medo de precisar de Deus. Os ricos vão-se independendo de Deus, e essa é a mais terrível maldição que infligem a si mesmos. Ser pobre é muito mais do que uma categoria social. Nesse sentido, Marx conseguiu ser o teólogo mais popular dos últimos séculos, ao enxotar do conceito de pobreza tudo o que vai além da economia.

O que Marx intuiu, com muito mais palavras e confusão do que era necessário, é que todas as pessoas são estrangeiras aos olhos dos outros. Karl julgou que essa estrangeirice que nos é intrínseca vinha sobretudo do que temos, mas aí falhou: vem do que somos. Claro que é mais fácil colocar as coisas em termos econômicos do que ontológicos, porque o dinheiro que cada um tem facilmente se mede. Mas a origem da questão, no fato de sermos todos estranhos uns diante dos outros, não é o que temos na carteira, mas o que temos no coração. Somos criaturas tão inevitavelmente dadas à perdição que parte substancial da nossa vida é perdermo-nos dos outros e perdermo-nos até de nós próprios (Marx preferiu falar em "alienação", para que a origem judaica e religiosa do conceito não fosse tão óbvia).

Logo, o que está verdadeiramente em causa quando chego de manhã à Lapa, acompanhado de todos os outros proletários vindos dos subúrbios que se apeiam dos transportes públicos, não é a luta de classes. Eu, os homens das obras e as empregadas domésticas que vão servir num dos bairros privilegiados de Lisboa, não somos, em primeiro lugar, gente desfavorecida, em contraste com a fartura da vizinhança. Somos pura e simplesmente gente diferente, gente estranha ao padrão local. E a verdadeira luta que se vai eternizando não é a de classes, mas a da diferença. Muito menos do que a falta de classe nos outros, assusta-nos uma forma de vida que seja tão vida quanto a nossa mas numa forma tão diferente. Com dez anos de levar a lepra para a Lapa, recordo que, depois de Jesus ter curado dez leprosos, só um lhe agradeceu — o estrangeiro.

22/05/22

Orem pela Nice

Em Portugal não é comum consolarmos alguém aflito com a frase "vou orar por ti". Provavelmente conhecemos a ideia dos "*thoughts and prayers*" que vemos os americanos dispensarem publicamente quando desgraças acontecem, mas, mesmo que tentássemos a tradução mais óbvia e católica, "vou rezar por ti", continuaria a soar estranho. Creio que a palavra rezar é da mesma família da palavra "prece", que é equivalente à inglesa "prayer". O certo é que "vou orar por ti" soa mais natural nos países de língua inglesa, geralmente de maioria protestante. Para um protestante em Portugal, como eu, saímos do berço dizendo "Mamã", "Papá" e "vou orar por ti".

À expressão "orar" ligamos também o discurso espontâneo, e não a rigidez que associamos à reza. Logo, orar por alguém é abrir a boca e pedir a Deus o que quer que atravesse o nosso pensamento. Os protestantes são criaturas com real excesso de desembaraço diante da divindade. Quando oramos, é logo: quero isto, aquilo e aqueloutro (lembro-me, por exemplo, de ter seis anos e orar à noite pedindo que Deus me fizesse namorar com uma miúda por quem estava apaixonado — Deus nunca respondeu a essa oração, o que mostra a pedagogia de confiar em alguém que não nos dá a garantia de recebermos o que lhe pedimos repetidamente). Atrevimento é coisa que não nos falta. Por isso, tudo pode ser transferível para a oração. Literalmente tudo. Consegues pensar numa determinada coisa? Então consegues orar por essa mesma coisa. O protestantismo é, nesse sentido, o reino da simplicidade.

Hoje também acontecem reações hostis quando pessoas de responsabilidade política recorrem, diante de uma tragédia, aos "*thoughts and prayers*". Acho que compreendo. Para todos os efeitos, recorrer à oração é assumir a nossa incapacidade. Afinal, quando digo que vou orar por alguém, eu não garanto que posso fazer alguma coisa pela pessoa por quem intercedo. Quando oro, a garantia é zero (como expliquei no caso da miúda por quem estava apaixonado aos seis anos). Quando oro por alguém, assumo que vou fazer o que posso, que é orar, para que alguém além de mim possa fazer o que não tenho capacidade para fazer. Quando oro, terceirizo o poder que assumo não ter. Orar é sempre uma humilhação. A pessoa de oração é alguém treinado em assumir a sua incompetência.

Se se espera que quem tem responsabilidades políticas possa fazer alguma coisa com o poder que lhe foi dado, é natural que odiemos que essa pessoa responda na linguagem da oração. A alguém de quem esperamos competência fica mal ouvir um discurso de reconhecimento da sua ausência através do uso da oração. E a oração, sendo a tal rendição de alguém à sua impotência através da invocação de um poder superior, poder esse que nem sequer é consensual que realmente exista, é um corpo estranho no nosso decidido cultivo da política como a resposta às nossas maiores necessidades. Novamente: oração parece não combinar com a verdadeira ação que se impõe.

Levo comigo mais de quatro décadas de oração e, portanto, reconhecimento recorrente da minha incompetência. Sou um falhado diplomado, como crente em Deus.

Passo para as mãos de Deus não somente os casos difíceis mas até os outros, em que pode parecer que trataria do assunto com um pé atrás das costas. Sem oração, sem terceirizar o poder que assumo não ter, não tenho nada para mostrar. Ou seja, sem oração, a incompetência que nela já assumo brilha ainda mais forte. Sem delegar a Deus as responsabilidades que geralmente as pessoas esperam que assuma, sou um irresponsável ainda maior. Se não pedir a Deus que me ajude a fazer o que me pedem para fazer eu, nem eu faço e mais dificilmente faz ele. Orar é assumir que a nossa especialidade é estorvar.

Estes cinco parágrafos prefaciam então um último que serve para pedir a todos os leitores para orarem pela Nice Ferreira. A Nice é uma diaconisa da Igreja da Lapa que se machucou seriamente numa queda na semana passada. Ela precisa dos médicos que estão a cuidar dela no Hospital em São Miguel, nos Açores; ela precisa do seu marido, o Tiago, que tem sido um homem a sério; ela precisa da paz para as meninas deles, a Raquel e a Joana, e para toda a restante família. Mas, acima de tudo, ela precisa de um poder que vá além da soma de toda a competência e coração dessa gente toda que trata dela e a ama. Esse poder, que nos humilha tanto por ir além de toda a capacidade que temos de resolver os nossos problemas, a existir só pode existir em Deus. É a ele a quem oramos em nome de Jesus pela Nice. Amém.

11/09/22

Circunstâncias do Diabo para Deus nos fazer falta

Andássemos mais aflitos e não teríamos os Nataizinhos insignificantes que nos calharam em sorte. Para um bom Natal são necessárias três coisas: aflição, admissão da nossa responsabilidade nessa aflição, e recusa dessa aflição. Pessoas que não se sentem à rasca não precisam de Messias. A linguagem da Bíblia é diferente, dialeto próprio de deserdados. Quando, por exemplo, sintonizamos o profeta Isaías do Antigo Testamento, só escutamos esperança depois de escutarmos desespero. Que Deus faça coisas típicas de um Deus: "Oh! Se fendesses os céus e descesses! Se os montes tremessem na tua presença, como quando o fogo inflama os gravetos, como quando faz ferver as águas, para fazeres notório o teu nome aos teus adversários, de sorte que as nações tremessem da tua presença! Quando fizeste coisas terríveis, que não esperávamos, desceste, e os montes tremeram à tua presença" (Isaías 64.1-3).

Para quem chegou a uma aflição sincera, pedir razoabilidades é absurdo. Razoabilidades pede gente achada. Gente perdida precisa ver Deus nas grandes desgraças que atravessa. Gente que precisa de um Salvador sabe que no dia que ganhar vergonha de pedir coisas a Deus, perde-o a ele também. A linguagem excitada dos velhos profetas é decalcada e a lógica aplica-se a nós: se é para Deus aparecer, que apareça de um modo radical, direto e à antiga! O que se pede é: Deus, quebra alguma coisa que a nossa paciência chegou ao fim. Por favor, faz coisas terríveis para que ninguém arrisque negar que estás a tomar conta desta cena lamentável!

Outra vantagem da pessoa aflita é que ela não teme pedir a Deus para benefício próprio. Isaías deu combustível para uma interpretação tão abençoadamente egoísta quando afirma que "desde a antiguidade não se ouviu, nem com ouvidos se percebeu, nem com os olhos se viu Deus além de ti, que trabalha para aquele que nele espera" (Isaías 64.4). Acreditar em Deus também é saber que ele nos serve. Nenhum cristão é desinteressado — a salvação é para ser lucro e não prejuízo. Na Bíblia as pessoas são pessoas e não pessoas boas. O melhor que acontece nessas páginas santas e alucinadas é sempre através do reconhecimento do pior em nós. E é também assim que entramos no segundo passo para um bom Natal: o da admissão da nossa responsabilidade na aflição que vivemos.

Provavelmente os nossos erros participaram nesse mesmo processo de não vermos Deus fazer coisas próprias de um Deus. E o verso 6 de Isaías 64 pode deixar-nos engasgados: "todos nós somos como o imundo, e todas as nossas justiças, como trapo da imundícia". Somos criaturas tão tramadas que precisamos tratar do mal que fazemos, mas até o bem que queremos fazer carece de tratamento — somos doentes quando estamos doentes e somos doentes quando nos julgamos saudáveis. O interessante é que é no arrependimento que a magia acontece: depois da aflição e da admissão da nossa participação nessa aflição, vem a rejeição dessa aflição. Contradição? Nem por isso.

O arrependimento genuíno não nos faz perder o descaramento: "Não te enfureças tanto, ó Senhor, nem perpetuamente te lembres da nossa iniquidade" (Isaías 64.9). Já que Deus é Deus, quem sabe não pode ele executar o milagre de não nos tratar de acordo com o que merecemos? Notem a esperteza implícita na história do Natal: se Deus vem até nós no seu Filho, não desperdicemos a oportunidade de o tratarmos como se fosse nosso Pai também. Agora que sabemos que parte fundamental da responsabilidade por estarmos aflitos é nossa, Cristo que assuma alguma para dela nos livrar. Afinal, a nossa aflição é real e gente desesperada como nós consegue tirar algum proveito de um Salvador. Salvador: salva-nos mesmo!

O que permite o luxo de pedirmos a Deus que nos trate como seus filhos é algo que também estava no contexto desse livro complicado que é o de Isaías: Deus não somente ia restaurar Israel como centro espiritual do mundo, como o faria através de Jerusalém na pessoa do Messias, Jesus Cristo. O sofrimento dos judeus quando Jerusalém anda mal é um argumento para desejarmos um porto diferente da nossa deriva habitual. Simplificando muito, os aflitos ao terem Deus em carne e osso no seu Filho Jesus, entram pela aflição que ele viveu dentro de si. Nesse sacrifício terrível da crucificação, os cristãos desesperados identificam-se a ponto de se pretenderem, eles próprios, filhos adotivos de Deus. Se Deus se expôs a viver os nossos infernos, por que não haveremos nós de lhe pedir o paraíso? O bom ladrão é o que quer estar aonde Jesus vai.

O primeiro passo para um belo Natal? Provavelmente algumas circunstâncias do Diabo para que querer ser filho de Deus nos sirva para alguma coisa.

27/11/22

Um nojo de Natal

Se o Natal servisse para celebrar a nossa bondade, não nos chegaria hoje à mesa. Aquilo que faz dessa festa cristã uma tradição que resiste é a mensagem de que a luz é uma exceção e não a regra. Amaciamos os textos bíblicos num cenário rústico e terno, à maneira de uma *selfie* de família pós-parto numa espécie de Airbnb mais selvagem. José, Maria e os pastores nos campos diriam, todavia, que, estando alguma coisa a começar no nascimento daquela criança, a memória a descreveria como escura, muito escura. O presépio original é uma experiência perturbadora, e os anjos noturnos, antes de paz, inspiram pânico.

Diante do Natal é preciso não ter medo. Aliás, os ateus que o desprezam possuem mais bom senso do que os vulgares fãs da festa. A alegria que vem com a mensagem de que Deus se fez bebê, antes de ser um sentimento é um estranho anúncio: o que pode pacificar os homens é o fato de a glória ser para Deus. Forçar familiaridade com o nascimento de Jesus é, nesse sentido, altamente contraproducente. O bebê vai crescer para ser um homem que se familiariza com todo tipo de pessoas e circunstâncias que dificilmente celebraríamos à mesa. É mesmo preciso não ter medo do Natal.

A história do Natal, seguindo o seu curso, acabará no lado errado dela. Crescida, a criança Jesus vai envolver-se com os piores. E uma ironia sobressai agora: quanto menos acreditamos em pecado, mais evitamos aqueles que nele se especializam. Dois mil anos depois, a nossa religião pode ser pouca mas somos muito seletivos com a nossa companhia. Nessa medida, deveríamos ler urgentemente as cenas bíblicas em que Jesus se dar com os ruins escandalizava os que naturalmente os evitam. De certo modo, quem à época se escondia atrás da religião pode ser hoje o que, não professando nenhuma, lhe perpetua os achaques.

O que é contado no nascimento, crescimento, vida, morte, ressurreição e ascensão de Jesus nem sequer resvala na lengalenga dos bons sentimentos que tendem a ser associados ao Natal. Se quisermos ser honestos diante dos Evangelhos, o que a humanidade no geral tem para oferecer a Jesus é uma rejeição clara em forma de pena de morte. Se fôssemos assim tão bons como nos esforçamos nesta época paradoxal, o fim do conto era outro. Mas como tendemos a procurar a glória para nós, o que demos a Deus foi guerra — o oposto concreto do anúncio dos tais anjos naquela noite de breu.

Significa isto que a história de Natal fracassou? Pelo contrário. Mas significa, necessariamente, que ela, para ser o que realmente é, dispensa os nossos virtuosos sentimentos. O bem que nos cabe é assumir o nosso pior. E, nessa confissão, desistirmos de sermos contados entre os bons. E é só a partir daqui que podemos compreender a potência no fato de Jesus ser descrito como "amigo de pecadores".

Jesus ser amigo de pecadores pode, para fazer jus ao desatino que está em causa na Escritura, repugnar-nos. Vou correr o risco de uma linguagem grosseira: é possível até que o cristianismo meta nojo quando Cristo medeia nojentos. Há um Jesus a sério a dar-se seriamente com pecadores a sério — os piores mesmo, para nós hoje no século 21. O sublime não é vermo-nos no lado certo da história, porque andamos naturalmente sintonizados com a ação divina. O sublime é vermo-nos nessa lista negra, rejeitados justamente por todos, mas encontrados graciosamente por um Cristo que partilha a mesa conosco. Os bons ficaram lá fora, a censurar a nossa refeição.

19/12/21

Parte VI

Milagres no coração

Os fantasmas na minha cama

Não sei se tenho esqueletos no armário, mas, sem dúvida, tenho fantasmas na cama. Deito-me com a Ana Rute apenas, mas no meio da noite, nos meus sonhos, aparecem outras pessoas sem que as autorize. Por vezes, roubam-me a paz e, quando acordo pela manhã, é como se já tivesse vivido um dia inteiro antes de me levantar.

Esses intrusos são fantasmas na medida em que, não tendo estado com eles fisicamente, eles estiveram comigo. Habitam os meus sonhos como se essa terra complicada, que fica entre o fato e a fantasia, fosse mais deles do que minha. Quando sonho, dou por mim a assistir à minha vida em vez de vivê-la. E isso, ironicamente, muda-a. Os fantasmas que nos entram na cama fazem-nos coisas factualmente. Os nossos fantasmas, de certa maneira, vivem-nos a nós.

Há fantasmas que não convidamos, mas que, em último grau, nos honram quando chegam. Isso acontece com o meu avô Joaquim e a minha tia Rute. Quando eles vêm custa-me, ao acordar, lembrar que afinal já não os posso ter comigo — resta sempre o consolo de eles me terem habitado um pouco durante a noite. Por outro lado, há fantasmas que nos perturbam porque trazem contas por ajustar. Fazem com que ponderemos em vidas que talvez devessem ser as nossas mas que, por alguma razão, não conseguimos tê-las. Podem ter sido amizades interrompidas que ocasionalmente dão mesmo em ódios por assumir. Sendo que, para tornar tudo mais complicado, esses fantasmas são pessoas que continuam vivas mas sem se cruzar conosco fora do sono.

A Bíblia contém um dos registros mais impressionantes acerca de como os fantasmas nos entram, num primeiro momento, pela cama, mas depois avançam descaradamente pela existência toda. O rei Herodes Antipas tinha sido o responsável pela execução de João Batista, que os Evangelhos contam com mais detalhe nas cenas famosas da dança da filha de Herodias, com quem Herodes estava ilegitimamente envolvido, e da decapitação do profeta eremita. Acontece que Herodes até gostava de João Batista e, só contrafeito, acabou por provocar-lhe a morte, apanhado naquele tipo de promessas parvas que fazemos quando já estamos entornados. A fanfarronice deu em fantasma porque, morto o Batista, Herodes via-o em toda parte. Ora, à medida que a fama de Jesus crescia e os judeus elaboravam opiniões e teorias acerca dele, a do rei arrependido era clara: Jesus é João regressado do túmulo para o atormentar. Cristo vivia em carne e osso, mas Herodes tinha-o em fantasma.

Nos cenários mais extremos, os fantasmas podem ir da cama para qualquer lugar na nossa vida, chegando até ao ponto de acotovelarem os vivos e tomarem-lhes o lugar. Quantas vezes as pessoas reais com que lidamos não funcionam apenas como embalagens dos espíritos dos que já não estão cá? Vivemos assombrados a tomar quem está por quem não está, e o que acontece no sono apodera-se das horas acordadas. Atingimos a pior versão possível da vida dos nossos sonhos.

Vou aceitando o fato de não conseguir expulsar os fantasmas da minha cama. A minha oração ao dormir nem é tanto a de me ver livre deles; peço antes a Deus que, se é para ser assombrado, não dependa apenas dos sustos no sono. Pessoas sem fantasmas podem ser as que mais temem o escuro em pleno dia. Mas ainda que andemos pelo vale de todas as sombras, a luz vem em forma de gente. Entrando onde não os autorizei, os fantasmas na minha cama levantam-me para tocar mais em quem anda comigo em carne e osso.

14/11/21

Sou agnóstico quanto à minha velhice

Até aos 39 anos acreditei na minha velhice. Depois de uns sustos em que julguei que ia morrer, deixei de tomar o meu envelhecimento como provável. Mais do que acreditar que vou andar por cá, acredito hoje que vou embora. E sinto-me mais aliviado desde que decidi não sobrevalorizar a minha longevidade. Ao desaparecer a minha confiança na religião da esperança média de vida, pude assumir que, no que diz respeito a envelhecer, sou pura e simplesmente agnóstico. A minha velhice pode até existir, mas não posso dizer que creio nela.

Claro que me agrada envelhecer: continuar casado com a Ana Rute, ganhar netos dos nossos filhos, ver o povo da nossa igreja chegar à terceira geração, fazer e manter amigos, gravar mais discos, escrever outros livros, pregar novos sermões. Mas deixei de tomar como garantido seja o que for. Notei, por exemplo, que, não tendo celebrado a chegada da pandemia em 2020, ela também não me afligiu mais do que já andava aflito.

Sou geralmente acusado de ser chato, e o agnosticismo quanto à minha velhice não é exceção. Dizem-me, com o manual de ciência estatística aberto, que envelhecer é o mais provável no século 21, e não nego. Que hoje corremos todos o risco de andar por aqui muito mais tempo do que os dos outros tempos andaram é fato. Mas a minha mudança de atitude não se baseia em cálculos.

Também não quero que o agnosticismo com a minha velhice soe a sermão, hábito que dificilmente evito. Não tenho como negar que um dos ingredientes mais saborosos de ser pregador é ter no fato mais incontornável do universo — o de que todos vamos morrer — um poderoso incentivo para a minha eficácia. Se Deus existir mesmo e a minha religião não estiver tão errada assim, a morte vai apresentar todos ao meu patrão. E tenho-me como uma espécie de funcionário dele em cobranças difíceis. É melhor pensar em tentar saldar a dívida aqui, parece-me. Mas não sou agnóstico quanto à minha velhice por técnica de maior persuasão profissional.

Por outro lado, também não quero que o agnosticismo com a minha velhice deseje perversamente que o meu eventual desaparecimento físico precoce se tornasse uma maneira de viver para sempre nos outros. E tenho de reconhecer que também tendo a idealizar mortes trágicas de gente nova como insinuações de eternidade. Um velhinho que se apaga geralmente não impressiona ninguém. Nesse sentido, envelhecer faz bem ao ego de todos e ao meu em particular.

No entanto, sou agnóstico diante da minha velhice porque simplesmente não a conheço ainda, como a própria palavra grega dentro de "agnóstico" indica. Não tenho *gnose* da minha longevidade. Quando muito, ela poderá acontecer. Admito, sim, que se ficar velho gostaria de atingir o que, na pequena preciosidade que é o livro *24 horas da vida de uma mulher*, Stefan Zweig escreveu: "envelhecer é perder o medo do passado". E se, de fato, o melhor da velhice é perder o medo do passado, talvez o melhor de hoje seja perder o medo do futuro.

Suspeito que o medo do futuro é a religião das religiões. No final dos anos 1980 vulgarizou-se, à custa do sucesso do filme de Peter Weir, *Sociedade dos poetas mortos*, a expressão *carpe diem*. Para além de tatuagens péssimas, esse lema latino inspirava as pessoas a viverem cada dia como se fosse o último. Era a versão sem fé do velho *memento mori* diário dos monges, em que a lembrança da morte nos ajuda a viver. Mas o agnosticismo com a minha velhice não quer chegar exatamente aí. Não quero tanto que a morte me ajude a viver (apesar de também não ser contra); quero mesmo é que a vida me ajude a morrer. Não acredito em ser velho. Mas confesso que acredito que, sem morte, ninguém chega a ser realmente novo — é a minha esperança eterna de vida.

21/11/21

O elogio seletivo da temperamental Irmã Isilda

Quando a Irmã Isilda trocou a nossa igreja por outra, meio zangada comigo, gostaria de lhe ter agradecido por algo mas já não consegui. Uns tempos depois, morreu. Durante o período que fez parte da nossa congregação, repetia que eu ficava bem de gravata — acontece que só muito raramente eu usava uma. Claro que eu compreendia o que estava em causa naquele elogio seletivo: para ela, pregador sério era pregador engravatado. Uma vez subiu a aposta e ofereceu-me duas gravatas. Senti-me na obrigação de as usar muito ocasionalmente, é certo, mas mesmo assim resisti e permaneci um pastor por formalizar.

Não terá sido o meu pescoço solto a determinar que escolhesse outra igreja, espero (embora as pessoas troquem de pregador por todo tipo de razões). O fato é que o tempo foi passando e, quem diria!, dei por mim, à chegada aos quarenta anos, a apreciar cada vez mais aquele gesto, até então apenas excepcional, de me engravatar. Fui-me engravatando e fui-me engravatando, mas a Irmã Isilda já lá não estava para ver... Não sei se há parte de homenagem póstuma envolvida, mas hoje o raro é um domingo sem gravata. Quase sempre que dou o nó, lembro-me da Irmã Isilda.

Quantos dos nossos pequenos rituais são reconhecimentos tardios das pessoas que não tiveram o tempo de os integrar? Há conselhos que só aceitamos quando quem os deu saiu de cena. Gosto de pensar que a eternidade também servirá para esse tipo de ajuste de contas, não em relação apenas ao mal que fizemos, mas também em relação aos bens que só depois de um tempo foram feitos. Aliás, a eternidade é necessária também porque todo o bem e todo o mal do universo têm um problema com as horas. Precisamos de um tempo sem tempo porque vezes demais o calendário reclama para si o monopólio de distinguir uma coisa bem-feita da outra.

Foi um grupo pequeno que se juntou quando enterramos o corpo da Irmã Isilda no Cemitério do Alto de São João, em Lisboa. Pouca família, poucos amigos, sobretudo as pessoas da igreja. Foi também pouco o tempo que levamos na cerimônia. Uma leitura bíblica, um par de orações e não me lembro se chegamos a cantar. O pastor da igreja pela qual a Irmã Isilda tinha trocado a nossa deu-me a oportunidade de partilhar uma palavra e dirigi os presentes no Pai Nosso. Era meio da tarde de um dia de fim da primavera e, terminado o funeral, decidi regressar à Lapa a pé. Tinha tempo para isso.

Agora que já não tinha como admitir junto da Irmã Isilda que a teima dela tinha mais futuro do que o passado havia mostrado, podia atravessar lentamente toda a cidade. Não sei qual a vossa experiência com enterros, mas, de um modo geral, ninguém sai com pressa de um cemitério — qualquer compromisso perde urgência e a nossa capacidade de questionar ponteiros aumenta. O excesso de pontualidade volta e meia é uma irritante presunção de que somos imortais.

Não é disparatado que os nossos atrasos nos biografem. Mas atrás de muitas das nossas chegadas tardias houve visões precoces que os outros tiveram. Fomos vistos antes de nós próprios nos vermos. Resistimos às sugestões alheias para, mais tarde (por vezes na aparência de ser tarde demais até!), as aceitarmos, num misto de arrependimento e prontidão. Hoje visto com gosto e gratidão o incômodo elogio seletivo da temperamental Irmã Isilda.

12/12/21

Atropelado pelo que o Pedro me confessou

Nesta quinta-feira de manhã estava a orar com o Pedro na igreja quando ele disse uma frase que me atropelou. O Pedro é um rapaz novo que veio parar em nossa casa de oração na Lapa há cerca de um ano. Como nasceu na Marinha Grande, cidade natal do meu pai, tem aquela pronúncia única e cantada que os de Leiria, vizinhos mais cultos e privilegiados, amaciam. Quando um marinhense fala, a primeira sílaba pode ser um mi e a segunda desce para um lá — é melodia forte mesmo. Logo, quando ouço o Pedro, ouço os meus primos, os meus tios, a minha avó (ouço até o meu pai quando ele, falando com gente da terra dele, recupera provisoriamente a pronúncia).

O Pedro tem um hábito que infelizmente tende a perder-se à medida que passam os anos depois da nossa conversão: ele ora o que pensa. O que ele diz a Deus é o que ele diz a si mesmo. E há uma riqueza incrível nisso. Quanto mais respeitados na fé somos, mais tentados nos sentimos a agir em conformidade com o patrimônio que ela alcança no reconhecimento dos outros. E não me entendam mal: é suposto que a nossa fé amadureça a ponto de poder ser confirmada pelas pessoas à nossa volta (é também isso que está em causa quando Jesus, no Sermão do Monte, explica que a luz não é para ser colocada debaixo do alqueire, mas no velador). Mas também é verdade que todos os grandes tombos se dão quando a nossa qualidade se consensualiza.

O bom orador torna-se, então, a oficina perfeita de Satanás. O discurso redondo, ajustadinho, lustroso até, podendo dizer o que é devido, anuncia a pior blasfêmia que depende sempre da autossatisfação. Não há nada tão difícil na vida de um pastor como saber que falamos bem (até este texto atamancado corre esse risco). De certo modo, quando se aprende a pregar o evangelho, desaprende-se a precisar dele. É por isso que precisamos mesmo de Jesus: porque até nos momentos em que o elogiamos arranjamos formas de o trair. Somos criaturas dificilmente salváveis, e por isso é que só uma história tão árdua como a cruz é capaz de redimir gente em tudo condenável.

Quando o Pedro ora, encontro-me a mim mesmo na oração dele — o Tiago sem frases de efeito, desvalido de remates verbais, completamente desamparado diante de Deus. E é quando nos sentimos realmente à mercê que, vejam bem o óbvio!, descobrimos que Deus tem mercês para nós, tem misericórdias mesmo. Sabemos que somos seriamente amados quando não temos mais linhas para dizer no palco e a ação já não é nossa. Ser amado é ser recebido, desistindo de qualquer conquista, seja ela feita pelo que falamos seja pelo que fazemos. Diante do amor de Deus somos totalmente passivos, e por isso o melhor é mesmo não atrapalhar. Sobretudo com as nossas qualidades.

O Pedro estava a orar e disse uma frase que me atropelou. Disse assim enquanto falava com Deus e comigo: “É uma dificuldade que eu tenho em detalhar todo o bem que me fazem”. Quando terminou a oração, dei-lhe o meu “amém”. Mas fiquei logo meio engasgado. Ele tinha acabado de confessar uma fraqueza que descreve a minha vida toda. E que nunca fui capaz de exprimir de um modo tão claro e conciso. Tentei dizer-lhe isso, quando me despedia dele, mas o melhor que consegui, depois de fechar a porta da igreja, foi sentar-me num dos bancos do salão de culto e fazer o que os judeus faziam junto às margens dos rios da Babilônia.

20/02/22

O meu trajeto de ser tonto

Gosto muito de ser um pastor evangélico porque estou mais livre para assumir a pessoa ridícula que sou. Por vezes sinto-me sozinho, mas logo me acompanha um ou outro doido, mais ou menos varrido, sem noção do tal ridículo que parece repugnar a generalidade dos cidadãos. A fé cristã acaba por ser um destino certo para todos os que vão perdendo a vergonha. Já ouvi algumas vezes a expressão de que a igreja deve ser um hospital para pecadores, mas considero-a tímida: a igreja deve ser e é mesmo um hospício. Nele caibo eu, neste caso como pastor, mas cabe também todo um rebanho escandalosamente diverso.

Depois de vinte anos de trabalhar em igrejas, sei que um pastor tem de responder a certas qualificações. Creio que uma das mais importantes é aceitar o mencionado ridículo como condição de partida e de chegada para que seja competente no que dele se espera. E, nesse sentido, posso dizer com paz de espírito que a minha profissão de ser pastor evangélico é absolutamente indissociável do ridículo. Um pastor que não seja ridículo não pode ser pastor. Uma pessoa não ridícula pode, na melhor das hipóteses, liderar-se a si mesma, mas nunca servir de ajuda para terceiros. Espanta-me sempre que tanta confiança seja colocada em gente tão credível.

Está também a fazer vinte anos que casei. No dia em que fiz a promessa mais importante da minha vida, de que seria fiel à Ana Rute, tinha zero de experiência em fidelidade matrimonial. A condição necessária para casar foi mostrar-me na hora H isento de qualquer autoridade no assunto ou conhecimento prévio. Essa é também uma das razões que nos leva a tão poucos casamentos hoje: as pessoas teimam em só fazer o que julgam já saber. Desde quando é que algo bem feito depende de uma presunção de sabedoria? Em duas décadas de casamento uma coisa sei: para estar casado só preciso de uma pessoa comigo (obrigado, mulher!).

Qualquer fidelidade para ser realmente fiel pressupõe absurdo. Nesse sentido, toda fidelidade é uma revolta contra a sensatez. Logo, o casamento dos casamentos, que é o de Cristo e da igreja, e que é aquele que um pastor também representa dando a sua vida pelo rebanho que a comunidade é, é o que pressupõe a mais gloriosa medida de absurdo. Ser fiel é tomar a parte pelo todo e, miraculosamente, isso não corresponder a um erro de cálculo, mas à conta mais certa que pode existir na vida. Ser fiel é assumir a nossa falha em corresponder a todos os outros além daqueles a que nos prometemos. A fidelidade é falhar a todos para não falhar a apenas um.

E as coisas mais inesperadas nascem do ridículo e do absurdo. O caso da excelência, se pensarmos nela, confirma isso. Excelência também é o exagero de fazermos de uma pequena coisa tudo. A pessoa excelente tem, nessa medida, um sentido de proporcionalidade abençoadamente avariado. A devoção que colocamos numa tarefa acaba sempre por ser uma falta de amplitude. Se conseguíssemos a toda hora ser atentos a tudo, perderíamos a oportunidade de ser excelentes. Ser excelente é comportar-se de acordo com a tempestade no copo de água, sentindo que neste momento tudo depende de apenas uma minúscula fração da existência. A excelência é uma qualidade que vem de uma quase cegueira total.

Inquieta-me, por isso, o excesso de confiança que colocamos nas mãos da sanidade. Se por aí formos, nunca ninguém arriscará confiar em mim e em muitos outros. O cristianismo propõe uma sociedade alternativa, em que os patetas podem ter uma palavra. Mais ainda: o cristianismo sugere que a palavra pode ter uns quantos patetas também. Essa é a minha vocação. Sou um crente casado, e essa condição dupla pressupõe um ridículo imenso — nele as áreas são muito generosas e há sempre espaço para mais um. Que nos mostremos tão precocemente sábios em qualquer matéria e em qualquer momento é também o que me tranquiliza no trajeto de ser tonto.

(Para a Ana Rute no seu aniversário.)

06/03/22

A minha mulher mata-me há vinte anos

Já escrevi um livro sobre casamento. À época tinha onze anos de experiência. Há duas semanas comemorei vinte. Eu e a Rute casamos há duas décadas, no dia 20 de julho de 2002, na Igreja Baptista de Queluz. Temos quatro filhos. Com a mania que tenho de querer escrever coisas supostamente novas sobre os assuntos mais antigos, escreveria hoje um livro diferente do *Felizes para sempre e outros equívocos acerca do casamento* (entretanto esgotado na sua pequena edição). Não negaria nada do que afirmei há nove anos, mas provavelmente colocaria ênfases noutros lugares. O que é o casamento também se não a arte de irmos enfatizando coisas diferentes permanecendo na mesma união?

Parte do meu trabalho como pastor é vender casamentos. Quando digo vender casamentos não estou a falar em ganhar dinheiro com eles, até porque nunca me aconteceu. Digo vender no sentido de promover mesmo, encorajar pessoas a casar e a ficar casadas. Uma cerimônia de casamento é um encanto e não tanto por ser amorosa aos nossos olhos, mas mais por se tratar de uma espécie de encantamento que se pratica. Quando as pessoas fazem os votos matrimoniais praticam um tipo de magia da boa. Talvez por isso os casamentos que mais aprecio são os que se deixam de romantismos pastosos e partem sem medo para o pó e para a lama que se pisam quando fazemos grandes promessas sem qualquer experiência prévia no assunto — é aí que a verdadeira fé é precisa.

Contra os casamentos modernos tenho a pieguice, o autocomprazimento e a manha adquirida numa das operações mais pagãs que o mundo já viu chamado namoro. Casar namorados é um castigo, mas casar noivos é outra história. Namorados contratam serviços; noivos contraem esperanças. O namoro é de tal modo uma imposição de caprichos pessoais que tiranizou tudo a ponto de substituir o casamento. Somos hoje um mundo de namorados eternos, uma campânula de adolescências impostas ao ponto da senilidade. Grande parte dos divórcios são namoros que teimaram não se tornar casamentos, ainda que tenham assinado os papéis. É muito triste que um dos valores que mais facilmente delegamos aos nossos filhos seja essa desgraça chamada namoro.

O namorado é uma pessoa feliz pelo que vive, o que contradiz completamente o que o casamento é. O casamento é o oposto de uma tentativa ansiosa de se guardar a felicidade que já se alcançou. É em boa parte o fato de as pessoas desesperarem por preservar a felicidade que tinham antes dos seus casamentos que explica que eles tão facilmente acabem. O entendimento cristão do casamento não é o de se viver feliz a todo o custo, mas precisamente o oposto: interessa aprender a saber morrer nele para que outras coisas possam nascer, além das nossas certezas prematuras de felicidade. Quem casar para se manter feliz, outras felicidades maiores do que o casamento rapidamente encontrará.

A Bíblia tem um modo único de expor isto logo no seu iniciozinho, nos dois primeiros capítulos do livro de Gênesis. Gênesis 2 dá-nos um *close* daquilo que Gênesis 1 deu panorâmico. Agora vemos em detalhe a criação da mulher, que acontece depois da do homem. E descobrimos que a vida do homem pré-mulher fazia parte do paraíso mas o paraíso não era tão paraíso assim. Depois de tanto "é bom" que Deus tinha dito ao criar o universo, lemos o primeiro "não é bom": "Não é bom que o homem esteja só" (Gênesis 2.18). A reação de Adão à ideia de Deus criar Eva é o primeiro poema do mundo, dizem muitos que estudam a Bíblia. "Esta, afinal, é osso dos meus ossos e carne da minha carne; chamar-se-á varoa, porquanto do varão foi tomada" (Gênesis 2.23). Tinha sido bom ao homem dar nome aos animais, mas quando dá nome à mulher o paraíso tornou-se ainda mais paraíso. Para todos que Deus chama ao casamento, estar casado significa que o que Deus faz é ainda mais usufruído por nós.

O casamento não é manteres o paraíso que descobriste antes dele, no suposto romance incrível que viveste; o casamento é um paraíso muito melhor a surgir através de a tua vida ser radicalmente mudada pela chegada de alguém diferente de ti em tudo. A Rute não é essencial para mim porque me fazia tão feliz namorando comigo que precisávamos casar; a Rute é essencial para mim porque encarna a inadequação das minhas presunções precoces de paraíso. Do mesmo modo que Adão foi recriado por Deus lhe fazer Eva da costela, a Rute abençoadamente impediu que o Tiago de 2002 continuasse. A ambição espiritual do casamento para nós é total porque casar significa uma transformação profunda de quem somos.

Um casamento que parte do princípio que o noivo e a noiva farão tudo para continuarem quem eram antes dele tem um nome simples: divórcio. Quando o marido quer permanecer o mesmo e quando a mulher quer permanecer a mesma, a separação é o desfecho natural. No relato bíblico, Deus não nos cria para sobrevivermos ao casamento, mas para morrermos nele e nascermos de novo — o esquema habitual do cristianismo. Quando permanecemos casados damos por nós num caminho que se assemelha intencionalmente ao de Cristo, no seu trajeto para o Calvário. E, do mesmo modo que a cruz não é o ponto final do cristão, o casamento implica uma ressurreição constante. Não é por acaso que a fé cristã depende da imagem do casamento entre Cristo e a igreja, a comunidade das pessoas atingidas pelo seu amor.

É verdade que a Rute foi minha namorada. Era uma bela namorada, devo admitir. Mas isso pouca ou nenhuma importância teve ou tem hoje. A Rute é a minha mulher há duas décadas, a pessoa que mais me tem matado. Ainda não sou grande coisa, e ela, melhor do que qualquer outra pessoa, sabe. Mas hoje, muito mais do que em 2002, sei que dela tem dependido toda a abundante vida nova que Deus me tem dado a graça de conhecer.

30/07/22

A diferença entre ração e refeição

Uma das coisas que não estava a bater certo na minha vida era a mesa. Graças a Deus nunca me faltou comida, mas até determinada altura comia para viver. À medida que fui ficando mais cristão fui compreendendo que o cristão vive para comer. Claro que nada disto serve para justificar o pecado da gula que no século 21 continua a ser mau (a gula é um pecado também porque, precisamente!, desrespeita o verdadeiro valor da comida num processo de ela ser usada como figurante da cena terrível que é não nos satisfazermos com nada). Mas hoje sei que acreditar em Cristo passa por viver para comer. Não comemos para viver; vivemos para comer.

Para os cristãos a eternidade é descrita como uma mesa — as bodas do Cordeiro. A ressurreição é uma refeição e, como o C. S. Lewis lembrava, os cristãos são os verdadeiros materialistas. Nós não desejamos o além para nos livrarmos das coisas daqui; nós desejamos o além para, mais do que nunca, termos as coisas daqui. É precisamente pelos cristãos odiarem uma existência de pessoas meio transparentes que toquem harpas sentadas em nuvens que sabemos que o que virá depois da morte será tão físico que o que é físico agora parece fantasma. "Porque, agora, vemos como em espelho, obscuramente; então, veremos face a face."

A mesa não estava certa na minha vida porque em grande parte comia para viver. Nunca fui de excepcionais apetites, e qualquer coisinha no prato me satisfazia. Tenho anos de teologia e metafísica, mas tem sido a comida a matéria de estudo mais exigente. Hoje sei que há uma diferença abismal entre uma refeição e uma ração. Passei décadas a tomar rações, mas hoje invisto na refeição. Na escola da refeição ainda sou um aprendiz e sei que o curso vai levar-me a vida toda. Mas esses estudos não abandono eu.

Na casa da Família Cavaco fazemos questão de ter refeições (e toleramos também momentos de ração em que cada um "trata do seu"). O que é, para nós, uma refeição? Uma refeição não é o consumo coletivo de uma ração — isso qualquer porco consegue. Uma refeição é o uso do discernimento quando se mastiga. Uma refeição implica a valorização voluntária do esforço que existiu para que o nosso prato se enchesse (passamos a querer saber o que comemos e como o que comemos aconteceu). Uma refeição implica também a valorização daquele que ao nosso lado se senta, quando mastigamos. Uma refeição tem um aspecto religioso óbvio, ao passo que uma ração chega e sobra para qualquer ateu.

Numa refeição as pessoas à mesa olham para o prato mas olham umas para as outras. Usam a boca para comer e usam a boca para conversar. Ao passo que uma ração é como tomar medicação de um modo mais prolongado, numa refeição a cura é outra: o que se faz não é apenas um meio para um objetivo, mas o que se faz, sendo também um meio, é o próprio objetivo. Os problemas antigos que tinha com a mesa estavam ligados ao fato de separar a substância do estilo, como qualquer palerma gnóstico faz. Julgava que comer era um estilo sem importância para a substância que era sobreviver. Agora sei que comer é a própria substância de estar vivo e não quero mais ser um palerma gnóstico.

A maior escritora viva da língua portuguesa, a Adélia Prado, tem um poema chamado "Tempo" em que diz assim: "Quarenta anos: não quero faca nem queijo. / Quero a fome". A Adélia sabe que a fome não é um problema a resolver (apesar de também poder ser), mas o meio que nos conduz ao melhor tipo de existência. Sem uma fome séria, vivemos de ração em ração, com tão pouca atenção para o que comemos como tão pouca atenção para com quem comemos. Uma das piores características do meu passado era precisamente viver sem fome, rapidamente nutrido por qualquer besteira (relembro que essa fome não tem nada a ver com a gula que é o tal cultivo da insatisfação). A fome elogiada pela Adélia é a conquista do maior critério, que sendo físico não pode deixar de ser espiritual.

Um cristão vive para comer também porque Cristo é, para ele, comida. É pão e vinho, é espírito e corpo, é barriga cheia e músculo pronto. As migalhas que Deus nos dá já nos vão servindo ao mesmo tempo que, por outro lado, a fome nos cresce. Não creio em cristãos que não sejam salivantes, sôfregos, insaciáveis. Claro que agradecemos pela comida que não nos falta. Mas para cada pedaço dela que aqui provamos, abre-se-nos o apetite para mais, muito mais. Aprender a comer é a atividade mais importante do mundo.

14/08/22

Viver dentro de conversas que ainda não tivemos

Conversar nunca é apenas conversa. Quantas vezes uma conversa que ainda não aconteceu é aquilo que mais vivemos acima de qualquer outra coisa? Volta e meia penso que a vida do dia a dia não é mais do que o intervalo comum do mais importante que são as conversas que temos e que esperamos ter. Aquilo que fazemos parece-me sinceramente sobrevalorizado diante daquilo que falamos e que contamos falar. Não são as palavras que são levadas pelo vento; talvez sejam as ações mesmo. A prova de que somos criaturas feitas pela palavra também reside na vida paralela que a espera pelas grandes conversas suscita em nós. Até começarmos a falar ainda não fizemos nada tão assinalável assim.

Nos últimos tempos esperei por um par de grandes conversas. Eram grandes conversas não no sentido de que teriam de durar muito tempo. Eram grandes conversas no sentido de que poderiam servir de revelação final daquelas coisas que vão crescendo em nós e que tememos colocar em palavras. Frequentemente uma grande conversa não se mede pela sua duração, mas pelo poder de materializar coisas que até então eram sobretudo nuvens cá dentro — estávamos sobre condições meteorológicas adversas que só as palavras concretizariam no temporal consequente. Há conversas que são essa precipitação final de uma tempestade que levou muito tempo a formar-se dentro de nós, mas que inevitavelmente terá de chover.

Mas, felizmente, outras conversas existem que permitem a abertura do horizonte carregado para o céu brilhar. Nessa medida, as palavras que usaremos são sempre muito maiores do que nós mesmos, com a estatura de possíveis desabamentos ou, preferivelmente, bonanças que nos aliviam. Quanto mais consciência temos de que as palavras não apenas documentam circunstâncias mas criam-nas também, menos nos esquivamos dessas conversas que tão naturalmente nos assustam. Há conversas desagradáveis que podem ser evitadas quando, antes das palavras terem de ser veredictos, elas puderam ser veredas. Ou seja: antes que tenhas de ouvir aquilo que já não pode ser de outro modo, encontra novos modos de falar. Pondera outras maneiras de falar para que o que te falam não tenha de ser o que te condena.

Recordo uma conversa que tive com uma pessoa que me disse algo que já intuía mas que nunca me tinha sido pronunciado. Essa pessoa era um terapeuta profissional e, talvez na linha reta da deontologia, colocou em palavras aquilo que a maioria hesitaria admitir acerca de mim diante de mim. No fundo, eu já conhecia o erro que o conselheiro me apontava, mas o momento em que ele o verbalizou encarnou uma mudança. Quando verbos encarnam, mundos mudam (onde é que já lemos isso?). Ainda hoje ouço a pronúncia dessa frase, misto do tal veredicto final mas oportunidade de vereda alternativa. A partir do momento que o meu velho pecado foi dito, fez-se carne e osso a oportunidade de o abandonar. Até então, não é que eu estivesse assim tão cego. Mas a verdade é que ouvir funciona como uma espécie de visão dupla. Até sermos mapeados pelas palavras dos outros, podemos fingir-nos perdidos nas coordenadas.

Aborrece-me portanto quando tenho de ouvir que falar é fácil e fazer é que é valioso. Sim e não. Claro que é fácil falar o que não se faz — uma definição curta e útil de hipocrisia. Como qualquer pessoa, também não quero ser hipócrita e desmascarado como alguém que se esconde no que fala para não fazer de acordo. Mas, por outro lado, sei que fazer sem falar é tão ou mais grave. Podemos viver escondidos em tantas coisas que fazemos evitando o território sagrado e milagroso da fala. Algumas das melhores coisas que nos curaram foram ações — claro que sim. Mas tantas outras coisas que nos curaram foram palavras. Ditas de um modo tão criador que a partir desse momento um universo novo começou.

Grande parte das minhas aventuras são a sobrevivência às conversas que já tive e às conversas que ainda estou para ter. As últimas, confesso, muitas vezes consomem-me em ansiedade. Penso no que eventualmente vou ter de ouvir e no que eventualmente vou ter de dizer. Depois, lembro-me das palavras da Palavra encarnada, quando dizia que basta ao dia o seu próprio mal. Se é verdade que viver dentro das conversas que ainda não tivemos não nos deve consumir previamente, fugir delas, por perigosas que pareçam, é pior ainda. Até falarmos, ainda não começamos realmente a fazer seja o que for.

09/10/22

Viver destriunfado

O sucesso é sempre um engano provisório — até aquele que exista no fato singelo de ter escrito este texto e ele estar neste momento a ser lido. O tempo em que a publicação destas frases encontrou retorno em quem as leia é algo tão rápido que, na história de todas as coisas, não passa de fração ínfima, menos do que um piscar de olhos. Até a pessoa que consegue, durante grande parte da sua vida, segurar a atenção daqueles que recebem o que ela faz, tornar-se-á rapidamente irrelevante. É nesse sentido que gosto de repetir a frase que diz que a pessoa esquecida já está mais no futuro do que aquela que ainda é recordada. O universo é uma máquina imparável de esquecimento.

Ganhar seja o que for tem muito de paliativo. Qualquer prêmio de primeiro lugar é um prêmio de consolação porque, mais do que ninguém, é o vencedor o maior derrotado no fato de o universo ser uma máquina imparável de esquecimento. Ao vencedor é sugerido que não nos esquecemos dele quando é precisamente dentro do vencedor que o esquecimento maior dano provoca. Quem nunca ganhou, nunca foi poupado do sofrimento que é a sua real insignificância. Já quem se habitua a ganhar, habitua-se a tomar a vitória como o seu significado natural. Pobre coitado. A caminho de uma grande desilusão vai ele...

No livro *Nada a temer* o escritor britânico Julian Barnes considerou o seguinte dilema, citando Arthur Koestler: “É melhor um escritor ser esquecido antes de morrer ou morrer antes de ser esquecido?”. Discorrendo nessa mesma direção, concluiu que "memória é identidade". O que mais autenticamente podemos ser é o que nos lembramos que fomos. Mas novamente esbarramos na frieza de o tempo não parar: por muito que tenhamos sido, lá à frente é quase certo que pouco ou nada seremos. Onde terminar a capacidade de sermos lembrados, não só acaba a evocação da nossa vida como, muito provavelmente, a nossa vida termina muito antes ainda de poder continuar a ser evocada. Todas as homenagens póstumas, por fortíssimas que sejam, não têm o dom da ressurreição.

O paradoxo que abraço é, portanto, este: do mesmo modo que ser lembrado não me tirará da sepultura quando já tiver morrido, sepultar-me já enquanto vivo deve treinar-me na consciência de que a vida é também o que acontece além do sucesso de vivermos dentro dos outros. Os que treinam viver esquecidos pelos outros encontram-se já com o maior tempo de todos que é aquele em que ninguém dos que conhecemos andará mais por aqui. Estas reflexões, mais do que apelarem a que nos desliguemos uns dos outros em vida, apelam a que haja vida até quando desligados andamos uns dos outros. Moral da história enquanto aqui andarmos: aproveita a vitória de existires nos outros; mas não penses que morres pelo contrário acontecer.

Todas as pessoas inspiradoras treinavam-se em ser esquecidas ainda em vida. Iam para o deserto, desapareciam, sumiam da vista dos outros. Há uma frase que o meu amigo João Coração entoa na sua canção "Muda que muda", que me acompanha como um *slogan* bíblico: "saber que faltamos àquele grande acontecimento". Lidar com não fazermos parte do que supostamente melhor acontece é de uma grandeza de espírito acessível apenas a alguns.

Naturalmente, gostaria de integrar esse número. Imaginem: tudo o que sucede é fantástico e nada de nós. Não fizemos parte, não aparecemos, não existimos. Não existimos? Aí é que está: existimos. Simplesmente a nossa existência não dependeu de integrarmos esse grande triunfo. Vivemos destriunfados.

Não é, por isso, por acaso que o cristianismo põe numa grande derrota o momento decisivo do universo. Na cruz está a reversão necessária de todas as coisas e o caminho estreitinho mas percorrível para uma solução inteira. Claro que não podemos falar da derrota do Calvário sem mencionar a vitória do sepulcro esvaziado. Mas ao dirigirmos a nossa atenção para esse momento prévio de bancarrota cósmica, em que Deus perde, compreendemos que a cura para o mais implacável esquecimento que a morte é implica vivermo-lo. Deus tem uma predileção em recordar-se dos que se perderam das vitórias do mundo.

21/08/22

Sobre o autor

Tiago Cavaco é pastor da Igreja da Lapa, em Lisboa, Portugal. É formado em Ciências da Comunicação pela Universidade Nova de Lisboa. Músico, compositor e cantor, fundou, com Samuel Úria, a editora musical FlorCaveira. Pela Mundo Cristão, publicou *Arame farpado no paraíso* e *Doidos por discernimento*. Escreve regularmente em seu blog *Voz do Deserto* (vozdodeserto.blogspot.com) e é colunista do jornal *Observador*. É casado com Ana Rute e pai de Maria, Marta, Joaquim e Caleb.

Compartilhe suas impressões de leitura,
mencionando o título da obra, pelo e-mail
opiniao-do-leitor@mundocristao.com.br
ou por nossas redes sociais

Esta obra foi composta com tipografia Janson Text
e impressa em papel Pólen Natural 70 g/m² na gráfica Imprensa da Fé